D1383129

O DIÁRIO SECRETO DE

ADRIAN MOLE

AOS 13 ANOS E ¾

Sue Townsend

O DIÁRIO SECRETO DE

ADRIAN MOLE

AOS 13 ANOS E ¾

Tradução de
Maria do Carmo Figueira

Editorial PRESENÇA

FICHA TÉCNICA

Título original: *The Secret Diary of Adrian Mole Aged 13 ¾*
Autora: *Sue Townsend*
Text © Sue Townsend, 1982
Todos os direitos reservados
Tradução © Editorial Presença, Lisboa, 2013
Tradução: *Maria do Carmo Figueira*
Ilustração da capa: *Patrícia Furtado*
Composição, impressão e acabamento: *Multitipo — Artes Gráficas, Lda.*
27.ª edição, Lisboa, junho, 2013
28.ª edição, Lisboa, julho, 2013
Depósito legal n.º 359 642/13

Reservados todos os direitos
para Portugal à
EDITORIAL PRESENÇA
Estrada das Palmeiras, 59
Queluz de Baixo
2730-132 BARCARENA
info@presenca.pt
www.presenca.pt

Para o Colin
e também para o Sean, o Dan, a Vicki e a Elizabeth
com amor e gratidão

«Paul entrou com qualquer coisa a atormentá-lo... mas foi conversando com a mãe. Jamais lhe confessaria o que sofria com aquelas coisas, e ela só em parte conseguia adivinhar.»

D. H. Lawrence, *Filhos e Amantes*

INVERNO

QUINTA-FEIRA, 1 DE JANEIRO
Feriado na Inglaterra, Irlanda, Escócia
e País de Gales

São estas as minhas resoluções de Ano Novo:

1. Vou ajudar os ceguinhos a atravessarem a rua.
2. Vou pendurar as minhas calças.
3. Vou pôr as capas nos discos.
4. Não vou começar a fumar.
5. Vou deixar de espremer as borbulhas.
6. Vou ser meigo para o cão.
7. Vou ajudar os pobres e os ignorantes.
8. Depois de ouvir os barulhos nojentos da noite de ontem lá em baixo, prometi também deixar de beber.

O meu pai embebedou o cão com brande na festa de ontem à noite. Se isto chegasse aos ouvidos da Associação dos Amigos dos Animais, ele estava feito. Já passaram oito dias desde o dia de Natal, mas a minha mãe ainda não estreou o avental verde de lurex que lhe ofereci! No próximo Natal vou dar-lhe cubos de gelo.

Vejam só a minha sorte: apareceu-me uma borbulha no queixo no primeiro dia de Ano Novo!

SEXTA-FEIRA, 2 DE JANEIRO
Feriado na Escócia. Lua cheia

Hoje estive na fossa. A culpa é da minha mãe por se pôr a cantar o «My Way» ao cimo das escadas, às duas da manhã. Havia logo de me calhar a mim uma mãe assim. É bem possível que os meus pais sejam alcoólicos. Para o ano posso estar num lar de crianças.

O cão vingou-se do meu pai. Deu um salto e atirou ao chão o modelo de um navio que ele tinha montado. Depois fugiu para o jardim com as cordas enroladas nas patas. O meu pai não parava de dizer: «Três meses de trabalho por água abaixo!»

A borbulha no meu queixo está a ficar maior. A culpa é da minha mãe, que não percebe nada de vitaminas.

SÁBADO, 3 DE JANEIRO

Vou dar em maluco por não dormir! O meu pai proibiu o cão de estar em casa e, por isso, ele passou a noite toda a ladrar à minha janela. É preciso ter azar! O meu pai gritou-lhe um palavrão. Se não tiver cuidado, a polícia faz-lhe a folha por utilizar linguagem obscena.

Acho que a borbulha é um furúnculo. É preciso ter azar para ser logo num sítio à vista de toda a gente. Chamei a atenção da minha mãe para o facto de ainda hoje não me ter dado nada que tivesse vitamina C, e ela disse-me: «Então vai comprar uma laranja.» É mesmo dela.

Ainda não pôs o avental de lurex.

Vai ser um alívio voltar para a escola!

DOMINGO, 4 DE JANEIRO
Segundo depois do Natal

O meu pai está constipado. Não me admira, com a alimentação que fazemos. A minha mãe foi à rua, debaixo de chuva, para lhe comprar uma bebida com vitamina C, mas eu disse-lhe: «Agora já é tarde de mais.» É um milagre não apanharmos escorbuto. A minha mãe diz que não vê nada no meu queixo, mas é por se sentir culpada por causa do que comemos.

O cão fugiu porque a minha mãe deixou o portão aberto. Parti o braço do gira-discos. Ainda ninguém sabe e, com sorte, o meu pai vai ficar doente muito tempo. É a única pessoa que usa a aparelhagem para além de mim. Do avental nem sinal.

SEGUNDA-FEIRA, 5 DE JANEIRO

O cão ainda não voltou. Está tudo mais sossegado sem ele. A minha mãe ligou para a polícia a dar uma descrição do cão. Fê-lo parecer pior do que é: com pelos desgrenhados por cima dos olhos e esse género de coisas. Cá para mim, a polícia tem mais que fazer do que andar à procura de cães, como, por exemplo, apanhar assassinos. Disse isto à minha mãe, mas ela ligou na mesma. Era bem feito se fosse assassinada por causa do cão.

O meu pai ainda está a mandriar na cama. Está a fazer de conta que está doente, porque reparei que continua a fumar!

O Nigel apareceu cá hoje. Ficou bronzeado durante as férias de Natal. Acho que ele vai adoecer rapidamente com o choque do frio de Inglaterra. Acho que os pais do Nigel fizeram mal em levá-lo para o estrangeiro.

Ele ainda não tem uma única borbulha.

TERÇA-FEIRA, 6 DE JANEIRO
Epifania. Lua nova

O cão está metido em apuros!

Atirou ao chão um contador da luz que ia de bicicleta e misturou os cartões todos. Por isso, agora vamos acabar todos em tribunal, espero eu. Um polícia disse que temos de tomar conta do cão e perguntou há quanto tempo é que ele estava coxo. A minha não disse que ele não estava coxo e esteve a vê-lo. Tinha um boneco minúsculo, um pirata, preso na pata dianteira esquerda. A minha mãe foi buscar um pano à cozinha, mas estava sujo de doce de morango porque tinha limpo a faca com ele e, por isso, a túnica dela ficou pior do que nunca. Nessa altura, o polícia foi-se embora. Tenho a certeza de que deve ter dito um palavrão. Podia apresentar queixa dele por isso.

Vou ver no meu dicionário novo o significado de «Epifania».

QUARTA-FEIRA, 7 DE JANEIRO

Hoje de manhã, apareceu cá o Nigel na bicicleta nova. Tem uma garrafa de água, um conta-quilómetros, um velocímetro, um selim amarelo e rodas de corrida muito finas. É um desperdício nas mãos do Nigel. Só a utiliza para ir às compras e voltar. Se fosse minha, corria o país todo e havia de ter uma aventura.

A minha borbulha ou o meu furúnculo atingiu o auge. De certeza que já não pode crescer mais!

Descobri uma palavra no meu dicionário que descreve o meu pai. É *impostor*. Continua de cama a encher-se de vitamina C.

O cão está fechado na casa da lenha.

Epifania é qualquer coisa que tem que ver com os três Reis Magos. Nada de especial...

QUINTA-FEIRA, 8 DE JANEIRO

Agora a minha mãe também está com gripe, o que significa que tenho de tratar dos dois. Só comigo!

Tenho passado o dia todo escada acima, escada abaixo. Fiz-lhes um jantar ótimo: dois ovos escalfados com feijão e pudim de sêmola de lata. (Ainda bem que estava com o avental de lurex porque os ovos escalfados escorregaram da caçarola e sujaram-me todo.) Estive quase para dizer qualquer coisa quando vi que não tinham comido *nada*. Não podem estar assim tão doentes. Levei tudo para o cão, que continua na casa da lenha. A minha avó vem para cá amanhã de manhã e, por isso, tive de limpar as panelas queimadas e depois levar o cão a passear. Eram onze e meia quando me deitei. Não admira que seja pequeno para a idade.

Decidi que não vou escolher Medicina.

SEXTA-FEIRA, 9 DE JANEIRO

Ontem à noite, foi só tossir, tossir, tossir. Quando não era um, era o outro. Era de esperar que tivessem alguma consideração por mim, depois do que tinha trabalhado durante todo o dia.

A minha avó chegou e ficou indignada com o estado em que a casa estava. Mostrei-lhe o meu quarto, que está sempre limpo e arrumado, e ela deu-me cinquenta *pence*. Mostrei-lhe a quantidade de garrafas vazias que estava no caixote do lixo e ela ficou indignada.

A minha avó tirou o cão da casa da lenha. Disse que tinha sido uma crueldade da minha mãe fechá-lo ali. O cão vomitou no chão da cozinha. A minha avó tornou a fechá-lo.

Espremeu-me a borbulha do queixo. Ainda ficou pior. Contei à minha avó a história do avental verde e ela disse que dava todos os anos à minha mãe pelo Natal um casaco de malha cem por cento acrílico e a minha mãe *nunca* tinha vestido *um único*!

SÁBADO, 10 DE JANEIRO

De manhã — Agora é o cão que está doente! Está sempre a vomitar, por isso temos de chamar o veterinário. O meu pai disse-me para não dizer ao veterinário que o cão tinha estado dois dias fechado na casa da lenha.

Pus um penso na borbulha para impedir que apanhe germes do cão.

O veterinário levou o cão. Diz que acha que ele tem uma obstrução e vai ter de ser operado de urgência.

A minha avó teve uma discussão com a minha mãe e voltou para casa. A minha avó deu com o casaco de malha do Natal todo cortado aos bocadinhos no saco do aspirador. É uma vergonha quando há pessoas a morrer de fome.

O vizinho do lado, o Sr. Lucas, veio visitar os meus pais, que ainda estão de cama. Trouxe um cartão com votos de melhoras e umas flores para a minha mãe. A minha mãe sentou-se na cama com uma camisa de dormir que deixava o peito todo à mostra. Conversou com o Sr. Lucas com uma voz nojenta. O meu pai fingiu que estava a dormir.

O Nigel trouxe os discos dele. Agora gosta de *punk*, mas não percebo qual é a piada, se não se consegue ouvir as

letras. Acho que estou a transformar-me num intelectual.
Deve ser de ter tantas preocupações.

À tarde — Fui ver como está o cão. Foi operado. O veterinário mostrou-me um saco de plástico cheio de coisas
nojentas. Tinha um bocado de carvão, o pinheiro do bolo
do Natal e os piratas do navio do meu pai. Um dos piratas
estava com um facalhão na mão que deve ter causado
muitas dores ao cão. Mas o cão parece estar muito melhor.
Na pior das hipóteses, daqui a dois dias pode vir para casa.

Quando cheguei a casa, o meu pai estava a discutir com
a minha avó ao telefone por causa das garrafas vazias no
caixote do lixo.

O Sr. Lucas estava lá em cima a conversar com a minha
mãe. Quando ele se foi embora, o meu pai subiu a escada
e discutiu com a minha mãe, que ficou a chorar. O meu pai
está de mau humor, o que significa que já se sente melhor.
Levei uma chávena de chá à minha mãe sem ela pedir e isso
também a fez chorar. Há pessoas a quem não se consegue
agradar!

A borbulha ainda cá está.

DOMINGO, 11 DE JANEIRO
Primeiro depois da Epifania

Agora sei que sou um intelectual. Ontem à noite vi o Malcolm Muggeridge na televisão e percebi quase tudo o que
ele disse. Bate tudo certo. Uma família disfuncional, uma

má alimentação, não gostar de *punk*. Acho que vou tirar o cartão de leitor da biblioteca e ver o que acontece.

É uma pena que não haja mais intelectuais a viver por estas bandas. O Sr. Lucas usa calças de bombazina, mas é agente de seguros. É preciso ter azar.

O primeiro quê depois da Epifania?

SEGUNDA-FEIRA, 12 DE JANEIRO

O cão já está em casa. Passa a vida a lamber os pontos, por isso quando estou a comer sento-me de costas para ele.

Hoje de manhã, a minha mãe levantou-se para fazer uma cama para o cão dormir até melhorar. Fê-la com uma caixa de cartão que tinha pacotes de sabão em pó. O meu pai disse que isso ia fazer o cão espirrar e rebentar os pontos e que o veterinário ia levar ainda mais caro para fazer outra costura. Discutiram por causa da caixa e depois o meu pai começou a falar do Sr. Lucas. Se bem que para mim seja um mistério o que o Sr. Lucas tem que ver com o cão.

TERÇA-FEIRA, 13 DE JANEIRO

O meu pai já voltou ao trabalho. Graças a Deus! Não sei como a minha mãe o atura.

Hoje de manhã, o Sr. Lucas apareceu cá para ver se a minha mãe precisava de ajuda na casa. É muito simpático. A Sra. Lucas estava a lavar as janelas da casa ao lado por fora. O escadote não parecia muito seguro. Escrevi a Malcolm Muggeridge, com cópia para a BBC, a perguntar-lhe o que havia de fazer para ser um intelectual. Espero que ele me responda depressa porque estou farto de estar sozinho. Escrevi um poema e só demorei dois minutos. Até os poetas famosos demoram mais do que isso. Chama-se «A Torneira», mas não é exatamente sobre uma torneira, é muito profundo, e fala da vida e coisas assim.

«A Torneira», de Adrian Mole
A torneira pinga e não me deixa dormir,
De manhã vai haver um lago.
A falta de uma anilha irá a carpete destruir,
Para arranjar uma terá o meu pai muito que se esforçar.
Lá no trabalho podia o meu pai uma surripiar.
Pai, arranja uma anilha, não sejas mongo!

Mostrei-o à minha mãe, mas ela riu-se. Não é lá muito esperta. Ainda não lavou os meus calções da ginástica e amanhã é dia de escola. Não é como as outras mães que aparecem na televisão.

QUARTA-FEIRA, 14 DE JANEIRO

Fiz-me sócio da biblioteca. Trouxe *Cuidados com a Pele*, *Origem das Espécies* e um livro escrito por uma mulher de quem a minha mãe está sempre a falar. Chama-se *Orgulho e Preconceito* e é de uma mulher chamada Jane Austen. Percebi perfeitamente que a bibliotecária ficou impressionada. Se calhar, é uma intelectual como eu. Não olhou para a minha borbulha; talvez esteja a ficar mais pequena. Já não era sem tempo!

O Sr. Lucas estava na cozinha a tomar café com a minha mãe. A cozinha estava cheia de fumo. Estavam a rir-se, mas, quando entrei, calaram-se.

A Sra. Lucas estava lá fora, a limpar as caleiras. Parecia estar de mau humor. Acho que o Sr. e a Sra. Lucas têm um casamento infeliz. Coitado do Sr. Lucas!

Nenhum dos professores lá da escola reparou que sou um intelectual. Vão arrepender-se quando eu for famoso. Há uma miúda nova na nossa turma. Está sentada ao meu lado nas aulas de Geografia. Chama-se Pandora, mas gosta que lhe chamem «Caixa». Não me perguntem porquê. É possível que me apaixone por ela. Já é mais do que tempo de me apaixonar. Afinal, já tenho treze anos e três quartos.

QUINTA-FEIRA, 15 DE JANEIRO

A Pandora tem o cabelo cor de melaço e comprido, como deve ser o cabelo das raparigas. Tem bastante boa figura. Vi-a a jogar voleibol e tinha as mamas a balançar. Tive uma sensação um bocado esquisita. Acho que desta é que é!

O cão foi tirar os pontos. Mordeu ao veterinário, mas acho que já deve estar habituado. (O veterinário, quero eu dizer; o cão sei eu que está.)

O meu pai descobriu que o braço do gira-discos está partido. Menti-lhe. Disse que tinha sido o cão que tinha saltado para cima dele e o tinha partido. O meu pai disse que vai esperar até o cão estar completamente curado da operação e depois dá-lhe um pontapé. Espero que seja uma piada.

O Sr. Lucas estava outra vez na cozinha quando cheguei da escola. A minha mãe já está melhor e, por isso, é um mistério para mim porque é que ele continua a vir cá a casa. A Sra. Lucas estava a plantar árvores às escuras. Li um bocado do *Orgulho e Preconceito*, mas é muito antiquado. Acho que a Jane Austen devia escrever uma coisa um bocado mais moderna.

O cão tem os olhos da cor dos da Pandora. Só reparei porque a minha mãe lhe cortou o pelo. Ficou pior do que nunca. O Sr. Lucas e a minha mãe estavam a rir-se do novo penteado do cão, o que não é lá muito bonito, porque os cães não podem responder, tal como acontece com a família real.

Vou-me deitar cedo para pensar na Pandora e fazer os meus exercícios de alongamento para as costas. Há duas semanas que não cresço. Se isto continua assim, ainda fico anão.

Se no sábado ainda tiver a borbulha, vou ao médico. Não consigo viver assim, com toda a gente a olhar para mim.

SEXTA-FEIRA, 16 DE JANEIRO

O Sr. Lucas apareceu cá em casa e ofereceu-se para levar a minha mãe às compras de carro. Deram-me boleia até à escola. Foi um alívio sair do carro, no meio de tanta galhofa e fumo de tabaco. No caminho, vimos a Sra. Lucas, carregada de sacos de compras. A minha mãe disse-lhe adeus, mas ela não pôde acenar-lhe.

Hoje tivemos Geografia e por isso estive uma hora inteira sentado ao lado da Pandora. Está mais gira a cada dia que passa. Disse-lhe que os olhos dela eram da cor dos do meu cão. Ela perguntou-me de que raça era, e eu disse-lhe que era um cão rafeiro.

Emprestei a minha caneta de bico de feltro azul à Pandora para pintar a zona à volta das Ilhas Britânicas.

Acho que ela gosta destas pequenas atenções.

Hoje comecei a ler a *Origem das Espécies*, mas não é tão bom como a série da televisão. O *Cuidados com a Pele* é o máximo. Deixei-o aberto nas páginas sobre vitaminas. Espero que a minha mãe perceba a dica. Deixei-o em cima da mesa da cozinha, ao pé do cinzeiro; por isso, ela não pode deixar de o ver.

Marquei consulta por causa da borbulha. Ficou roxa.

SÁBADO, 17 DE JANEIRO

Hoje acordaram-me logo de manhã. A Sra. Lucas anda a cimentar a parte da frente da casa e a betoneira teve de ficar com o motor a trabalhar enquanto ela espalhava e alisava o cimento antes que secasse. O Sr. Lucas fez-lhe uma chávena de chá. Ele é mesmo simpático.

O Nigel veio cá a casa para me perguntar se queria ir ao cinema, mas disse-lhe que não podia, porque ia ao médico por causa da borbulha. Ele disse que não via borbulha nenhuma, mas só estava a ser simpático, porque hoje a borbulha está gigantesca.

O Dr. Taylor deve ser um daqueles médicos de família que trabalham de mais, de que estamos sempre a ouvir falar. Nem sequer olhou para a borbulha, só disse para não me preocupar e perguntou-me se estava tudo bem em casa. Contei-lhe todas as desgraças da minha vida familiar, falei--lhe da péssima comida que a minha mãe me dava, mas ele disse que eu estava bem alimentado e que podia ir para casa e pensar em todas as coisas boas que tinha. É nisto que dá utilizar o Serviço Nacional de Saúde.

Vou arranjar trabalho a distribuir jornais e passar a ir só a médicos particulares.

DOMINGO, 18 DE JANEIRO
Segundo depois da Epifania. Início do segundo semestre em Oxford

A Sra. Lucas e a minha mãe tiveram uma discussão por causa do cão. Ele arranjou maneira de fugir de casa e pisou o cimento ainda fresco da Sra. Lucas. O meu pai ofereceu--se para abater o cão, mas a minha mãe começou a chorar e ele disse que então não o abatia. Os vizinhos estavam todos na rua a lavar os carros e a ouvir a conversa. Às vezes, odeio mesmo aquele cão!

Hoje lembrei-me da minha resolução de Ano Novo de ajudar os pobres e ignorantes e, então, dei alguns dos meus livros de banda desenhada antigos a uma família bastante pobre que se mudou para a rua a seguir à nossa. Sei que são pobres porque só têm uma televisão a preto e branco. Foi um miúdo que veio à porta. Expliquei-lhe o que tinha lá ido fazer. Ele olhou para os livros e disse «Já li» e fechou-me a porta na cara. É nisto que dá ajudar os pobres!

SEGUNDA-FEIRA, 19 DE JANEIRO

Entrei para um grupo da escola chamado Bons Samaritanos. O objetivo é ajudar a comunidade e coisas do género. Vamos faltar a Matemática às segundas-feiras à tarde.

Hoje estivemos a conversar sobre o tipo de coisas que vamos fazer. Fiquei no grupo dos pensionistas idosos. O Nigel ficou com um trabalho do pior, a tomar conta de crianças numa espécie de ATL. Está chateado que nem um peru.

Estou em pulgas que chegue a segunda-feira. Vou arranjar uma cassete para gravar as histórias dos cotas sobre a guerra e coisas do género. Só espero dar com um que ainda tenha boa memória.

O cão teve de ir outra vez ao veterinário. Agora tem cimento colado às patas. Não admira que fizesse tanto barulho nas escadas ontem à noite. A Pandora sorriu para mim no refeitório, mas eu estava engasgado com um bocado de carne com nervos e não consegui sorrir-lhe também. Sorte malvada!

TERÇA-FEIRA, 20 DE JANEIRO
Lua cheia

A minha mãe anda à procura de emprego!

Agora sou bem capaz de vir a dar num daqueles delinquentes que andam a vaguear pelas ruas e coisa do género. E o que é que vou fazer nas férias? Estou mesmo a ver que vou ter de passar dias inteiros sentado numa lavandaria para não ter frio. E quem é que toma conta do cão? Vou passar a ser um daqueles putos que tem de ter a chave para poder ir sozinho para casa. E o que é que eu vou comer todos os dias? Vou ter de comer batatas de pacote e doces até dar cabo da pele e ficar sem dentes. Acho que a minha mãe está a ser muito egoísta. Ainda por cima, não vai servir para nada num emprego. Não é muito esperta e bebe de mais no Natal.

Telefonei à minha avó a contar-lhe, e ela disse que posso ir para casa dela nas férias, e ir às reuniões dos Evergreens à tarde e coisas do género. Quem me dera não ter telefonado. Houve uma reunião dos Samaritanos hoje num intervalo. Dividimos os velhos. Calhou-me um senhor chamado Bert Baxter. Tem oitenta e nove anos, por isso acho que não vou ficar com ele por muito tempo. Vou visitá-lo amanhã. Espero que não tenha um cão. Estou farto de cães. Ou estão no veterinário ou especados à frente da televisão.

QUARTA-FEIRA, 21 DE JANEIRO

Os Lucas vão-se divorciar! São os primeiros cá da rua. A minha mãe foi lá a casa consolar o Sr. Lucas. Devia estar muito desconsolado, porque ela ainda lá estava quando o meu pai chegou do trabalho. A Sra. Lucas tinha ido a um sítio qualquer de táxi. Acho que se foi embora de vez, porque levou a caixa das chaves de fendas dela. Coitado do Sr. Lucas, agora vai ter de ser ele a lavar a roupa dele e essas coisas todas.

Hoje foi o meu pai que fez o jantar. Comemos arroz de caril de pacote, que era a única coisa que havia no frigorífico, além de um saco com coisas verdes que já não tinha rótulo. O meu pai disse por piada que devíamos mandar aquilo para a ASAE. A minha mãe não achou graça. Talvez estivesse a pensar no pobre Sr. Lucas, sozinho lá em casa.

Depois do jantar fui visitar o Sr. Baxter. O meu pai deu--me boleia porque ia jogar badmínton. A casa do Sr. Baxter não se vê bem da rua. Tem uma sebe enorme a toda a volta. Quando bati à porta, um cão começou a ladrar e a rosnar e a saltar para a caixa do correio. Ouvi garrafas de leite a caírem e um homem a dizer um palavrão, e desatei a fugir. Espero ter-me enganado no número.

No caminho para casa, encontrei o Nigel. Disse-me que o pai da Pandora é leiteiro! Já não gosto tanto dela.

Não estava ninguém em casa quando cheguei, por isso dei de comer ao cão, estive a olhar para as borbulhas e fui para a cama.

QUINTA-FEIRA, 22 DE JANEIRO

Aquilo de o pai da Pandora ser leiteiro é uma mentira vergonhosa! É contabilista da leitaria. A Pandora diz que vai dar cabo do Nigel se ele continuar a espalhar calúnias. Estou outra vez apaixonado por ela.

O Nigel convidou-me para ir a uma festa amanhã à noite no Clube Juvenil; é para angariar fundos para uma caixa de bolas de pingue-pongue novas. Não sei se vou porque aos fins de semana o Nigel é *punk*. A mãe deixa-o ser desde que ele use uma camisola interior por baixo da *T-shirt* rota.

A minha mãe vai a uma entrevista para um emprego. Está a praticar datilografia e não faz comida. Como é que vai ser se ela arranjar *mesmo* um emprego? O meu pai devia bater o pé, antes de nos tornarmos um lar desfeito.

SEXTA-FEIRA, 23 DE JANEIRO

Foi a última vez que fui a uma festa. Eram todos *punks*, menos eu e o Rick Lemon, o chefe do Clube Juvenil. O Nigel passou a noite toda a exibir-se até que acabou por espetar um alfinete de ama na orelha. O meu pai teve de o levar ao hospital no nosso carro. Os pais do Nigel não têm carro porque o pai tem uma placa metálica na cabeça e a mãe só mede um metro e meio. Não me admira que o Nigel tenha dado nisto, sendo filho de um maluco e de uma anã.

O Malcolm Muggeridge ainda não me respondeu. Talvez ande maldisposto. Os intelectuais como ele e eu têm muitas vezes estas épocas de mau humor. As pessoas normais não nos compreendem e dizem que somos rabugentos, mas não somos.

A Pandora foi ver o Nigel ao hospital. Ficou com uma infeção qualquer no sangue por causa do alfinete de ama. A Pandora acha que o Nigel é corajoso à brava. Eu acho que ele é estúpido à brava.

Não é para me queixar, mas passei o dia todo com dores de cabeça por causa do barulho da minha mãe a escrever à máquina. Agora tenho de ir para a cama. Amanhã tenho de ir visitar o Bert Baxter. Era mesmo aquela casa. É PRECISO TER AZAR!

SÁBADO, 24 DE JANEIRO

Hoje foi o pior dia da minha vida. A minha mãe conseguiu a porcaria do emprego de datilógrafa numa companhia de seguros! Começa na segunda-feira! O Sr. Lucas também lá trabalha. Vai-lhe dar boleia todos os dias.

E o meu pai está de mau humor — acha que se acabaram os bons tempos para ele.

Mas o pior de tudo é que o Bert Baxter não é um pensionista velhinho e simpático! Bebe e fuma e tem um lobo-d'alsácia chamado *Sabre*. O *Sabre* esteve fechado na cozinha todo o tempo que eu andei a aparar a sebe gigantesca, mas não parou de rosnar nem por um momento.

Mas ainda pior que isso: a Pandora anda com o Nigel!!!!!
Acho que nunca mais vou recuperar deste choque.

DOMINGO, 25 DE JANEIRO
Terceiro depois da Epifania

10 da manhã: Estou doente por causa de todas estas preocupações e demasiado fraco para escrever muito. Ninguém
reparou que não tomei pequeno-almoço.

2 da tarde: Tomei duas aspirinas ao meio-dia e melhorei
um pouco. Talvez quando for famoso e o meu diário for
descoberto, as pessoas compreendam o tormento de ser
um intelectual incompreendido de treze anos e três quartos.

6 da tarde: Pandora! Meu amor perdido!

Agora nunca mais vou acariciar os teus cabelos cor de
mel! (Embora a minha caneta de feltro azul continue à tua
disposição.)

8 da noite: Pandora! Pandora! Pandora!

10 da noite: Porquê? Porquê? Porquê?

Meia-noite: Comi uma sandes de pasta de delícias do
mar e uma tangerina (para bem da minha pele). Sinto-me
um bocadinho melhor. Só espero que o Nigel caia da bicicleta e fique espalmado debaixo de um camião. Nunca mais
lhe falo. Ele sabia que eu estava apaixonado pela Pandora!
Se me tivessem dado uma bicicleta de corrida no Natal em
vez duma porcaria dum despertador digital com rádio, nada
disto teria acontecido.

SEGUNDA-FEIRA, 26 DE JANEIRO

Tive de abandonar o meu leito de doente para ir visitar o Bert Baxter antes de ir para a escola. Demorei séculos a chegar lá por estar tão fraco e ter de parar de vez em quando para descansar, mas, com a ajuda de uma velhota com um enorme bigode preto, lá consegui chegar à porta dele. O Bert Baxter estava deitado, mas atirou-me a chave e eu entrei. O *Sabre* estava fechado na casa de banho; estava a rosnar e parecia que estava a rasgar toalhas ou coisa do género.

O Bert Baxter estava deitado numa cama nojenta a fumar; havia um cheiro horroroso no quarto e acho que vinha do próprio Bert Baxter. Os lençóis pareciam cobertos de sangue, mas o Bert disse-me que era das sandes de beterraba que costuma comer todas as noites antes de dormir. Nunca tinha visto um quarto tão nojento em toda a minha vida (e não sou propriamente inexperiente em matéria de imundície). O Bert Baxter deu-me dez *pence* e pediu-me que fosse ao quiosque comprar-lhe o *Morning Star*. Quer dizer que, para além de tudo o resto, ainda por cima é comunista! Normalmente é o *Sabre* que vai buscar o jornal, mas tem estado preso de castigo por ter roído o lava-loiça.

O homem do quiosque pediu-me para dar a conta ao Bert Baxter (deve de jornais £31,97), mas, quando a dei ao Bert, ele chamou-me «Caixa de óculos idiota», riu-se e rasgou a conta. Cheguei atrasado às aulas e tive de ir

à Secretaria para o meu nome ficar na lista dos atrasados. É esta a gratidão que recebo por ser um Bom Samaritano! E não faltei a Matemática! Vi a Pandora e o
Nigel muito juntinhos na fila para o almoço, mas preferi
ignorá-los.

O Sr. Lucas ficou de cama por a mulher o ter deixado,
e então a minha mãe vai tratar dele quando chega do trabalho. É a única pessoa que ele quer ver. Como é que ela
vai ter tempo para tratar de mim e do meu pai?

O meu pai anda rabugento. Acho que tem ciúmes por
o Sr. Lucas não o querer ver a *ele*.

Meia-noite: Boa noite, Pandora, meu amor de cabelos
de mel.

XXXXXXXXX

TERÇA-FEIRA, 27 DE JANEIRO

A aula de Desenho hoje foi o máximo. Pintei um rapaz
solitário em cima de uma ponte. O rapaz tinha acabado
de perder o seu primeiro amor para o seu ex-melhor
amigo. O ex-melhor amigo debatia-se na corrente do
rio. O rapaz estava a ver o seu ex-melhor amigo a afogar-
-se. O ex-melhor amigo era um bocadinho parecido com
o Nigel. O rapaz era parecido comigo. A Sra. Fossington-
-Gore disse que o meu desenho «era profundo», tal como
o rio. Ah! Ah! Ah!

QUARTA-FEIRA, 28 DE JANEIRO
Quarto minguante

Hoje de manhã acordei um bocado engripado. Pedi à minha mãe que escrevesse um bilhete para eu ser dispensado da aula de Ginástica. Ela disse que se recusava a aturar as minhas pieguices mais um dia que fosse! Será que ela gostava de andar a correr à chuva num campo cheio de lama, só com uns calções de ginástica e uma camisola sem mangas? No ano passado, quando eu entrei na corrida de três pernas no dia de desporto da escola, ela foi ver-me, e levou o casaco de peles e pôs uma manta nas pernas, e já estávamos em junho! Mas, de qualquer maneira, a minha mãe arrependeu-se. Jogámos râguebi e a roupa da ginástica ficou com tanta lama que entupiu o esgoto da máquina de lavar roupa.

O veterinário telefonou para irmos buscar o cão. Já lá está há nove dias, desde que foi operado. O meu pai diz que vai ter de ficar lá até ele receber o ordenado, em princípio amanhã. O veterinário só aceita pagamentos em dinheiro e o meu pai está completamente liso.

Pandora! Porquê?

QUINTA-FEIRA, 29 DE JANEIRO

O estúpido do cão voltou. Não torno a levá-lo a passear enquanto não lhe crescer o pelo das patas. Tiveram de ser rapadas. O meu pai estava pálido quando voltou do veterinário e não parava de dizer: «É dinheiro deitado à rua», e disse que a partir de agora o cão só pode comer os restos que ele deixar no prato.

Isso significa que o cão não vai demorar muito tempo a morrer à fome.

SEXTA-FEIRA, 30 DE JANEIRO

Aquele comuna nojento do Bert Baxter telefonou para a escola a queixar-se de que eu tinha deixado a tesoura de podar à chuva! Disse que ficou toda enferrujada. Quer uma indemnização. Eu disse ao Sr. Scruton, o reitor, que ela já estava ferrugenta, mas vi logo que ele não acreditou. Deu-me um sermão sobre como é difícil para as pessoas idosas governarem-se com tão pouco dinheiro. Mandou-me ir a casa do Bert Baxter limpar e afiar a tesoura. Queria contar ao reitor tudo sobre o horroroso Bert Baxter, mas há qualquer coisa nele que faz a minha cabeça ficar vazia. Acho que é por ele ficar com os olhos tão esbugalhados quando se irrita.

No caminho para casa do Bert Baxter vi a minha mãe e o Sr. Lucas a saírem juntos de uma casa de apostas. Acenei e gritei, mas acho que não conseguiram ver-me. Ainda bem que o Sr. Lucas está melhor. O Bert Baxter não abriu a porta. Se calhar, morreu.

Pandora! Ainda não me saíste da cabeça, querida.

SÁBADO, 31 DE JANEIRO

Estamos quase em fevereiro e não tenho ninguém a quem mandar um cartão no dia de São Valentim.

DOMINGO, 1 DE FEVEREIRO
Quarto depois da Epifania

Ontem à noite houve uma grande gritaria lá em baixo. O caixote do lixo da cozinha foi atirado ao chão e estavam sempre a bater com a porta das traseiras. Gostava que os meus pais tivessem mais consideração por mim. Passei por um período emotivo e preciso de dormir. De qualquer forma, não acho que eles percebam como é estar apaixonado. São casados há catorze anos e meio.

Hoje à tarde fui a casa do Bert Baxter, mas graças a Deus ele tinha ido para Skegness com os Evergreens. O *Sabre* espreitou pela janela da sala. Fiz-lhe um gesto feio. Espero que ele não se lembre.

SEGUNDA-FEIRA, 2 DE FEVEREIRO
Apresentação

A Sra. Lucas voltou! Vi-a a arrancar árvores e arbustos e a pô-los na parte de trás de uma carrinha. Depois deitou também para lá todas as ferramentas de jardinagem e arrancou. A carrinha tinha escrito de lado «Refúgio Feminino». O Sr. Lucas veio a nossa casa falar com a minha mãe. Fui lá abaixo para o cumprimentar, mas ele estava demasiado perturbado para reparar em mim. Perguntei à minha mãe se vinha cedo para casa. Estou farto de ter de esperar pelo jantar. Não veio cedo.

Hoje o Nigel foi expulso do refeitório por ter dito mal do empadão; disse que o buraco do meio era quase do tamanho do empadão inteiro. Acho que a Sra. Leech teve toda a razão em expulsá-lo, afinal de contas estavam lá os caloiros todos! Nós que já estamos no terceiro ano, temos de dar o exemplo. A Pandora fez um abaixo-assinado para reclamar do empadão. Eu não vou assinar.

Hoje foi dia dos Bons Samaritanos. Fui obrigado a ir a casa do Bert Baxter. Faltei ao teste de Álgebra! Ah! Ah! Ah! O Bert deu-me um chupa-chupa que trouxe de Skegness e disse que estava arrependido de ter telefonado para a escola a fazer queixa por causa da tesoura de podar. Disse que se sentia só e precisava de ouvir uma voz humana. Se eu fosse a pessoa mais só do mundo, não telefonava para a escola. Telefonava para o sinal horário; falam connosco de dez em dez segundos.

TERÇA-FEIRA, 3 DE FEVEREIRO

A minha mãe não trata convenientemente da casa há uma data de dias. Não faz mais nada senão ir para o trabalho, confortar o Sr. Lucas, ler e fumar. O carro do meu pai pifou. Tive de lhe mostrar onde é que se apanhava o autocarro para a cidade. Tem quarenta anos e não sabe onde é a paragem do autocarro! O meu pai estava com tão mau aspeto que tive vergonha de ser visto com ele. Fiquei contente quando chegou o autocarro. Gritei pela janela que não podia fumar no andar de baixo, mas ele disse-me adeus e acendeu um cigarro. A multa por fumar no autocarro é de cinquenta libras! Se eu mandasse nos autocarros, a multa era de mil libras e ainda obrigava os fumadores a enfiar vinte mata-ratos pela goela abaixo.

A minha mãe anda a ler *A Mulher Eunuco*, de Germaine Greer. A minha mãe diz que é o tipo de livro que muda a vida de uma pessoa. Não mudou a minha, mas eu também só dei uma vista de olhos. Está cheio de palavrões.

QUARTA-FEIRA, 4 DE FEVEREIRO
Lua nova

Hoje tive o meu primeiro sonho húmido! Portanto, a minha mãe tinha razão acerca do livro *A Mulher Eunuco*. Mudou a minha vida.

A borbulha está mais pequena.

QUINTA-FEIRA, 5 DE FEVEREIRO

A minha mãe comprou uma daquelas batas que os pintores e os decoradores usam. Veem-se-lhe as cuecas por baixo. Espero que não ande com aquilo na rua.

Amanhã vai furar as orelhas. Acho que está a tornar-se uma gastadora. A mãe do Nigel é uma gastadora. Estão sempre a receber avisos de que lhes vão cortar a luz e coisas do género porque a mãe dele compra uns sapatos de salto alto todas as semanas.

Gostava de saber para onde vai o abono de família. Por direito, devia ser para mim. Amanhã vou perguntar à minha mãe.

SEXTA-FEIRA, 6 DE FEVEREIRO
Aniversário da coroação da rainha, 1952

É uma chatice ter uma mãe que trabalha. Chega a correr com enormes sacos de compras, prepara o jantar e depois começa às voltas pela casa a embonecar-se. Mas continua a não arrumar nada antes de ir consolar o Sr. Lucas. Que eu saiba, já há três dias que está uma fatia de *bacon* entalada entre o fogão e o frigorífico!

Hoje perguntei-lhe pelo meu abono de família. Deu uma gargalhada e disse que o gastava a comprar gim e cigarros. Se a Segurança Social sabe disso, está feita.

SÁBADO, 7 DE FEVEREIRO

Há horas que a minha mãe e o meu pai estão a gritar um com o outro. Começou por causa da fatia de *bacon* entalada ao lado do frigorífico e derivou para o custo do arranjo do carro do meu pai. Fui para o quarto e pus os meus discos dos Abba a tocar. O meu pai teve o descaramento de abrir a porta do meu quarto à bruta para me mandar baixar o som. Eu baixei. Quando ele chegou lá abaixo, voltei a aumentá-lo.

Ninguém fez o jantar, por isso fui ao restaurante chinês e comprei uma dose de batatas fritas e um pacote de molho de soja. Sentei-me na paragem do autocarro a comê-las e depois passeei um bocado, sempre triste. Vim para casa. Dei comida ao cão. Li um bocado de *A Mulher Eunuco*. Senti--me um bocado esquisito. Deitei-me.

DOMINGO, 8 DE FEVEREIRO
Quinto depois da Epifania

O meu pai apareceu no meu quarto hoje de manhã, disse que queria conversar. Olhou para o meu livro de recortes do Kevin Keegan, aparafusou o puxador do meu roupeiro com o canivete suíço e perguntou-me como ia a escola. Depois pediu desculpa pelo que tinha acontecido ontem à noite e pela gritaria e disse que ele e a minha mãe estão a «passar por uma fase má». Perguntou-me se eu tinha alguma coisa a dizer. Eu disse-lhe que me devia trinta e dois *pence* das batatas e do molho de soja. Ele deu-me uma libra. Portanto tive um lucro de sessenta e oito *pence*.

SEGUNDA-FEIRA, 9 DE FEVEREIRO

Hoje de manhã estava uma camioneta de mudanças em frente da casa do Sr. Lucas. A Sra. Lucas e mais umas mu-lheres estavam a tirar a mobília de casa e a empilhá-la no passeio. O Sr. Lucas estava a olhar pela janela do quarto. Parecia um bocado assustado. A Sra. Lucas estava a rir e a apontar para o Sr. Lucas, e as outras mulheres começaram todas a rir e a cantar «Porque é que ele nasceu tão bonito?».

A minha mãe telefonou para o Sr. Lucas a perguntar se ele estava bem. O Sr. Lucas disse que não ia trabalhar porque tinha de ficar a guardar a aparelhagem e os discos. O meu pai ajudou a Sra. Lucas a pôr o fogão na carrinha, e depois ele e a minha mãe foram juntos para a paragem do autocarro. Eu fui atrás deles porque a minha mãe levava uns brincos compridos e a dobra das calças do meu pai tinha caído. Começaram a discutir por causa de uma coisa qualquer e por isso eu atravessei para o outro lado e fui para a escola pelo caminho mais comprido.

Hoje o Bert Baxter estava OK. Falou-me da Primeira Guerra Mundial. Disse que tinha sido salvo por uma Bíblia que trazia sempre num bolso da camisa. Mostrou-me a Bíblia, tinha sido impressa em 1956. Acho que o Bert está um bocado senil.

Pandora! A tua lembrança é um tormento constante!

TERÇA-FEIRA, 10 DE FEVEREIRO

O Sr. Lucas vai ficar cá em nossa casa até arranjar uma mobília nova.

O meu pai foi a Matlock para ver se conseguia vender aquecimentos elétricos a um grande hotel.

A nossa caldeira deixou de funcionar. Está um frio de rachar.

QUARTA-FEIRA, 11 DE FEVEREIRO
Quarto crescente

O meu pai telefonou de Matlock a dizer que perdeu o cartão de crédito e que não pode voltar para casa hoje, e por isso a minha mãe e o Sr. Lucas estiveram a pé toda a noite a tentar arranjar a caldeira. Eu fui lá abaixo às dez horas para ver se precisavam de ajuda, mas a porta da cozinha não se conseguia abrir. O Sr. Lucas disse que não podia abri--la naquele momento porque estava num momento crucial com a caldeira e a minha mãe estava a ajudá-lo e tinha as mãos ocupadas.

QUINTA-FEIRA, 12 DE FEVEREIRO
Aniversário de Lincoln

Hoje à noite fui dar com a minha mãe a pintar o cabelo na casa de banho. Foi um autêntico choque para mim. Durante treze anos e três quartos pensei que tinha uma mãe ruiva e agora descubro que é castanho-claro. A minha mãe pediu--me para não dizer nada ao meu pai. Como o casamento deles deve estar! Será que o meu pai sabe que ela usa um sutiã acolchoado? Ela não o pendura na corda a secar, mas uma vez vi-o atirado para o lado do roupeiro. Pergunto a mim mesmo que outros segredos terá a minha mãe?

SEXTA-FEIRA, 13 DE FEVEREIRO

Foi mesmo um dia de azar!

A Pandora já não fica ao meu lado na aula de Geografia. Agora é o Barry Kent. Esteve o tempo todo a copiar por mim e a rebentar balões de pastilha elástica ao pé dos meus ouvidos. Fiz queixa à Sra. Elf, mas ela também tem medo do Barry Kent, portanto não lhe disse nada.

Hoje a Pandora estava uma delícia, com uma saia aberta que lhe deixava as pernas à mostra. Tem um arranhão num dos joelhos. Levava o lenço da equipa de futebol do Nigel atado à volta do pulso, mas a Sra. Elf viu e mandou-a tirá-lo. A Sra. Elf não tem medo da Pandora. Mandei-lhe um cartão de São Valentim (à Pandora, não à Sra. Elf).

SÁBADO, 14 DE FEVEREIRO
Dia de São Valentim

Só recebi um cartão de dia de São Valentim. Estava escrito com a letra da minha mãe, por isso não conta. A minha mãe recebeu um cartão enorme, tão grande que teve de vir uma carrinha dos correios entregá-lo à porta. Ficou toda vermelha quando abriu o envelope e viu o cartão. Era o máximo. Tinha um elefante enorme de cetim a segurar um ramo de flores de plástico com a tromba e com uma bola a sair da boca que dizia: «Olá, Coisa Fofa! Nunca Te esquecerei!» Não tinha nenhum nome lá dentro, só desenhos de corações com «Pauline» escrito dentro de cada um. O cartão do meu pai era muito pequeno e tinha um molho de flores roxas à frente. O meu pai tinha escrito lá dentro: «Vamos tentar de novo.»

Foi este o poema que escrevi dentro do cartão da Pandora.

> Pandora!
> Adoro-te.
> Imploro-te
> Não me ignores.

Escrevi com a mão esquerda para ela não descobrir que era meu.

DOMINGO, 15 DE FEVEREIRO
Septuagésima

O Sr. Lucas voltou para casa dele, mesmo vazia, ontem à noite. Acho que se fartou de tanta gritaria por causa do cartão com o elefante do dia de São Valentim. Eu disse ao meu pai que a minha mãe não tem culpa de ter um admirador secreto. O meu pai deu uma gargalhada maldosa e disse: «Tens muito a aprender, filho.»

Fui para casa da minha avó à hora do almoço. Ela fez-me um almoço de domingo como deve ser, com sopa e pudim de Yorkshire em taças individuais. Ela também nunca está assim tão ocupada que não possa fazer leite-creme verdadeiro.

Levei o cão e à tarde fomos todos dar um passeio para fazer a digestão do almoço.

A minha avó não fala com a minha mãe desde a discussão por causa dos casacos de malha. Diz que «não volta a pôr o pé naquela casa!». A minha avó perguntou-me se eu acreditava na vida depois da morte. Eu disse que não, e ela disse-me que tinha aderido à Igreja Espiritualista e que tinha ouvido o meu avô a falar do ruibarbo dele. O meu avô morreu há quatro anos!!! Na quarta-feira à noite vai tentar entrar em contacto com ele outra vez e quer que eu vá com ela. Diz que tenho uma aura à minha volta.

O cão engasgou-se com um osso de galinha, mas nós virámo-lo de cabeça para baixo e demos-lhe umas palmadas com força e o osso saiu. Deixei o cão com a minha avó para recuperar do que lhe tinha acontecido.

Procurei a palavra «Septuagésima» no meu dicionário de bolso, mas não estava lá. Amanhã vou procurar no dicionário da escola.

Fiquei imenso tempo acordado a pensar em Deus, na Vida, na Morte e na Pandora.

SEGUNDA-FEIRA, 16 DE FEVEREIRO
Aniversário do nascimento de Washington

Uma carta da BBC!!!!! Um envelope branco, comprido, com BBC escrito em grandes letras vermelhas. O meu nome e morada na frente! Será que querem os meus poemas? Bolas, não! É uma carta de um tipo chamado John Tydeman a dizer:

Caro Adrian Mole,

Obrigado pelos poemas que mandou para a BBC e que, por acaso, vieram parar à minha secretária. Li-os com interesse e, tendo em conta a sua tenra idade, devo confessar que são algo promissores. No entanto, não têm qualidade suficiente para serem incluídos em qualquer dos nossos atuais programas de poesia. Já pensou em oferecê-los à revista da sua escola ou da sua paróquia? (Caso existam.)

Se, de futuro, desejar enviar algum trabalho seu para a BBC, permita-me que lhe sugira que o envie datilografado e que guarde uma cópia para si. Em geral, a BBC não considera os trabalhos manuscritos e, apesar do cuidado da apresentação, tive alguma dificuldade em perceber *todas* as palavras — em particular, no final de um poema intitulado «A Torneira», onde havia uma enorme mancha que tinha feito a tinta alastrar. (Uma gota de chá ou uma lágrima? É caso para dizer que «a sua Torneira transbordou».)

Já que deseja seguir uma carreira literária, gostaria de lhe dizer que precisa de arranjar uma forte carapaça para conseguir aceitar de boa vontade e com o mínimo sofrimento pessoal muitas das recusas que inevitavelmente irá receber no futuro.

Com os meus melhores votos para os seus futuros esforços literários — e, acima de tudo, Boa Sorte!

Atenciosamente,

John Tydeman

P. S. Incluo um poema de um certo John Mole que surgiu no suplemento literário do *Times Literary Supplement* desta semana. É alguém da sua família? É muito bom.

A minha mãe e o meu pai ficaram muito impressionados. Passei o dia todo a tirá-la da mochila e a lê-la na escola. Estava à espera que algum dos professores me pedisse para a ler na aula, mas nenhum pediu.

O Bert Baxter leu-a enquanto eu lhe lavava a porcaria da loiça. Disse que «lá na BBC eram todos uns drogados»! O tio do cunhado dele tinha sido vizinho de uma daquelas senhoras que andam a servir o chá na Broadcasting House. Por isso, o Bert sabe tudo sobre a BBC.

A Pandora recebeu dezassete cartões do dia de São Valentim. O Nigel recebeu sete. Até o Barry Kent, que toda a gente detesta, recebeu três! Eu limitei-me a sorrir quando me perguntavam quantos tinha recebido. De qualquer maneira, aposto que sou a única pessoa da escola que recebeu uma carta da BBC.

TERÇA-FEIRA, 17 DE FEVEREIRO

O Barry Kent disse que dava cabo de mim se eu não lhe desse vinte e cinco *pence* todos os dias. Eu disse-lhe que era uma perda de tempo pedir-me dinheiro com ameaças. Nunca me sobra dinheiro. A minha mãe deposita as minhas semanadas diretamente na minha conta-poupança e dá-me quinze *pence* todos os dias para um chocolate *Mars*. O Barry Kent disse que eu tinha de passar a dar-lhe o dinheiro do almoço! Disse-lhe que o meu pai os paga por cheque, desde que aumentaram para sessenta *pence* por dia, mas o Barry Kent bateu-me nos tintins e foi-se embora a dizer: «Há mais donde veio esta.»

Dei o nome para ir distribuir jornais.

QUARTA-FEIRA, 18 DE FEVEREIRO
Lua cheia

Acordei com uma dor nos tintins. Disse à minha mãe. Ela queria ver, mas eu não queria que ela visse e então ela disse que eu tinha de aguentar. Não escreveu um papel para eu poder faltar à aula de Ginástica, por isso tive de andar outra vez pela lama aos tropeções. O Barry Kent pisou--me a cabeça quando fizemos o *ruck*. O Sr. Jones viu-o e mandou-o para o balneário.

Quem me dera ter uma doença que não fosse dolorosa para poder faltar à Ginástica. Uma coisa como um coração fraco já servia.

Fui buscar o cão a casa da minha avó. Ela deu-lhe banho com champô e penteou-o. Cheira tão bem como a secção de perfumes da Woolworth.

Fui ao encontro dos espiritualistas com a minha avó, estava cheio de velhos caquéticos. Um maluco pôs-se de pé e disse que tinha uma telefonia dentro da cabeça que lhe dizia o que fazer. Ninguém lhe ligou nenhuma e ele sentou--se outra vez. Uma mulher chamada Alice Tonks começou a gemer e a rolar os olhos e a falar com alguém chamado Arthur Mayfield, mas o meu avô manteve-se em silêncio. A minha avó estava um bocadinho triste e, por isso, quando chegámos a casa fiz-lhe uma chávena de leite com chocolate. Ela deu-me cinquenta *pence* e eu fui para casa com o cão.

Comecei a ler *O Triunfo dos Porcos*, de George Orwell. Acho que talvez gostasse de ser veterinário quando for grande.

QUINTA-FEIRA, 19 DE FEVEREIRO
Nascimento do príncipe André, 1960

Para o príncipe André está tudo bem, tem guarda-costas para o protegem. Não tem o Barry Kent a extorquir-lhe dinheiro. Hoje foram-se cinquenta *pence* assim sem mais nem menos! Quem me dera saber caraté, dava-lhe um golpe na traqueia.

A casa está em silêncio, os meus pais não falam um com o outro.

SEXTA-FEIRA, 20 DE FEVEREIRO

Hoje o Barry Kent disse à Sra. Elf «Vá-se lixar» na aula de Geografia e ela mandou-o ir ao Sr. Scruton para ser castigado. Espero que lhe deem cinquenta chicotadas. Vou tornar-me amigo do Craig Thomas. É um dos mais altos do terceiro ano. Hoje no intervalo comprei-lhe um chocolate *Mars*. Fingi que estava maldisposto e que não me apetecia comê-lo. Ele disse: «Fixe, Moley.» É a primeira vez que fala comigo. Se fizer tudo certinho, posso ser do gangue dele. Assim o Barry Kent não se atrevia a tocar-me outra vez.

A minha mãe está a ler outro livro de sexo, chama-se *O Segundo Sexo*, escrito por uma franciú chamada Simone de Beauvoir. Deixou-o na mesinha da sala, onde qualquer pessoa podia vê-lo, até a minha avó!

SÁBADO, 21 DE FEVEREIRO

Hoje tive um sonho fantástico em que o *Sabre* estava a atacar brutalmente o Barry Kent. O Sr. Scruton e a Sra. Elf estavam a ver. A Pandora estava lá, levava o *kilt* aberto. Pôs os braços à volta do meu pescoço e disse: «Eu sou do segundo sexo.» Nessa altura acordei e descobri que tinha tido o meu segundo sonho húmido. Tenho de pôr o meu pijama na máquina de lavar para a minha mãe não descobrir.

Hoje estive a olhar bem para a minha cara ao espelho da casa de banho. Tenho cinco borbulhas, mais a do queixo. Tenho uns pelos por cima do lábio. Pelos vistos, vou ter de começar a fazer a barba dentro de pouco tempo.

Fui à garagem com o meu pai, ele estava à espera que lhe entregassem o carro hoje, mas ainda não está pronto. As peças estão todas na bancada. Os olhos do meu pai encheram-se de lágrimas. Fiquei envergonhado por causa dele. Fomos até ao Sainsbury's. O meu pai comprou latas de salmão, caranguejo e camarões, um bolo e um queijo branco horroroso coberto de grainhas de uva. A minha mãe ficou furiosa com ele quando chegámos a casa porque ele se tinha esquecido do pão, da manteiga e do papel higié-nico. Disse-lhe que não podia confiar nele para ir outra vez sozinho às compras. O meu pai ficou um bocado mais animado.

DOMINGO, 22 DE FEVEREIRO
Sexagésima

O meu pai foi à pesca com o cão. O Sr. Lucas veio almoçar e ficou para o lanche. Comeu três fatias do bolo. Jogámos ao *Monopólio*. O Sr. Lucas era a banca. A minha mãe estava sempre a ir para a cadeia. Eu ganhei porque era o único que estava devidamente concentrado. O meu pai entrou pela porta da frente e o Sr. Lucas saiu pela das traseiras. O meu pai disse que tinha estado todo o dia a pensar no bolo. Já tinha acabado. O meu pai disse que não tinha mordido nada nem nada lhe tinha mordido o anzol durante todo o dia. A minha mãe deu-lhe tostas com o queijo branco com grainhas para o jantar. Ele atirou-o contra a parede e disse que não era uma ***** de um rato, era uma ***** de um homem, e a minha mãe disse-lhe que há muito tempo que não lhe via a ***** do *******! Nessa altura, mandaram-me sair. É uma coisa horrível ouvir a própria mãe a dizer asneiras. Cá para mim, a culpa é daqueles livros todos que ela anda a ler. Ainda não passou a ferro a minha farda, espero que não se esqueça.

Deixei o cão dormir no meu quarto esta noite, ele não gosta de discussões.

SEGUNDA-FEIRA, 23 DE FEVEREIRO

Recebi uma carta do Sr. Cherry, o vendedor de jornais, a dizer que podia começar a distribuição amanhã. Sorte malvada!

O Bert Baxter está preocupado com o *Sabre* porque não tem comido nem tentado morder ninguém. Pediu-me que o levasse à Sociedade Protetora dos Animais para ser observado. Disse-lhe que o levava amanhã, se não estivesse melhor.

Estou farto de lavar a loiça do Bert. Parece que vive de ovos estrelados, e não é brincadeira lavar a loiça com água fria e sem detergente. Também nunca há um pano da loiça seco. Aliás, nunca há panos da loiça, e o *Sabre* já rasgou todas as toalhas de banho, por isso não sei como é que o Bert se lava! Acho que vou tentar arranjar uma mulher a dias para o Bert.

Se quero ser veterinário, tenho de me concentrar para passar nos exames.

TERÇA-FEIRA, 24 DE FEVEREIRO
São Matias

Levantei-me às seis da manhã para ir distribuir os jornais. Fiquei com a Elm Tree Avenue. É muito chique. Todos os jornais que eles leem são muito pesados: o *Times*, o *Daily Telegraph* e o *Guardian*. Só comigo!

O Bert disse que o *Sabre* está melhor, tentou morder o leiteiro.

QUARTA-FEIRA, 25 DE FEVEREIRO

Vou para a cama cedo esta noite por causa da distribuição dos jornais. Entreguei vinte e cinco *Punch*, além dos jornais.

QUINTA-FEIRA, 26 DE FEVEREIRO

Hoje os jornais foram todos baralhados. A Elm Tree Avenue ficou com o *Sun* e o *Mirror* e a Corporation Row ficou com os jornais pesados.

Não sei porque é que ficaram todos tão furiosos. Pensava que eles até iam gostar de ler um jornal diferente, para variar.

SEXTA-FEIRA, 27 DE FEVEREIRO
Quarto minguante

Hoje de manhã cedo vi a Pandora a sair do 69 da Elm Tree Avenue. Trazia um chapéu e calças de montar, portanto não ia de certeza para a escola. Não deixei que ela me visse. Não quero que ela saiba que ando a fazer um trabalho tão baixo.

Portanto, agora sei onde é que a Pandora mora! Estive a ver bem a casa. É muito maior que a nossa. Tem persianas de madeira em todas as janelas, e as salas parecem selvas com tantas plantas que têm. Olhei pela fresta da caixa do correio e vi um gato ruivo enorme a comer qualquer coisa na mesa da cozinha. Recebem o *Guardian*, o *Punch*, o *Private Eye* e o *New Society*. A Pandora lê a *Jackie*, a banda desenhada para raparigas. Não é uma intelectual como eu. Mas acho que a mulher do Malcolm Muggeridge também não deve ser.

SÁBADO, 28 DE FEVEREIRO

A Pandora tem um cavalo baixinho e gordo chamado *Blossom*. Ela dá-lhe de comer e fá-lo saltar por cima de uns barris todas as manhãs antes de ir para a escola. Sei isto porque me escondi atrás do *Volvo* do pai dela e depois segui-a até ao campo ao pé da linha de comboio abandonada. Escondi-me atrás da carcaça de um carro num dos cantos do campo e estive a vê-la. Estava impecável com o fato de montar e o peito a saltar à brava. Daqui a pouco vai precisar de usar sutiã. Sentia o coração a bater com tanta força na garganta que parecia uma coluna de som, e por isso fui-me embora antes que ela me ouvisse.

As pessoas queixaram-se de que os jornais chegaram atrasados. Sobrou-me um *Guardian* no saco no fim da ronda, por isso levei-o para casa para ler. Estava cheio de erros de gramática. É terrível pensar na quantidade de pessoas que sabem escrever bem e estão sem emprego.

DOMINGO, 1 DE MARÇO
Quinquagésima. Dia de São David

Levei uns quadrados de açúcar ao *Blossom* antes da distribuição dos jornais de hoje. De certa forma, aproximou-me da Pandora.

Dei um jeito nas costas por causa dos suplementos de domingo. Levei um *Sunday People* que sobrou para a minha mãe ler, mas ela disse que só servia para forrar o caixote do lixo. Recebi as minhas duas libras e seis *pence* por seis manhãs de trabalho, é trabalho de escravo! E ainda tenho de dar metade ao Barry Kent. O Sr. Cherry disse que tinha recebido uma queixa do número 69 da Elm Tree Avenue de que não tinham recebido o *Guardian* ontem. O Sr. Cherry mandou um *Daily Express* juntamente com um pedido de desculpas, mas o pai da Pandora veio trazê-lo de volta e disse que «preferia prescindir dele».

Não me preocupei em ler os jornais hoje, estou farto de jornais. O meu almoço de domingo foi *chow min* e rebentos de soja.

O Sr. Lucas apareceu quando o meu pai tinha ido visitar a minha avó. Trazia um narciso de plástico na lapela do blusão de desporto.

As minhas borbulhas desapareceram completamente. Deve ser do ar fresco da manhã.

SEGUNDA-FEIRA, 2 DE MARÇO

A minha mãe entrou há bocado no meu quarto e disse que tinha uma coisa horrível para me dizer. Sentei-me na cama e fiz uma expressão muito séria, para o caso de ela só ter seis meses de vida ou ter sido apanhada a roubar numa loja ou qualquer coisa assim. Ela mexeu nas cortinas, deixou cair a cinza do cigarro para cima do meu modelo do *Concorde* e começou numa ladainha sobre «relações adultas», sobre «a vida ser complicada» e a dizer que tinha de «se encontrar». Disse que gostava de mim. Disse que

«gostava», não que me amava!!! E que não queria magoar-
-me. Depois disse que, para algumas mulheres, estar casada
era como estar na prisão. E depois foi-se embora.

O casamento não é nada como estar na prisão! As
mulheres podem sair todos os dias para ir às compras e
coisas do género, e muitas até vão trabalhar. Acho que
a minha mãe está a ser bastante melodramática.

Acabei *O Triunfo dos Porcos*. É altamente simbólico.
Chorei quando levaram o *Boxer* para o veterinário. A partir
de agora vou passar a tratar os porcos com o desprezo
que eles merecem. Vou boicotar todos os tipos de carne
de porco.

TERÇA-FEIRA, 3 DE MARÇO
Terça-Feira Gorda

Hoje dei ao Barry Kent o dinheiro da proteção. Não estou a
ver como é que pode existir um Deus. Se existisse, de certeza
que não deixava pessoas como o Barry Kent andarem por
aí a ameaçar os intelectuais. Porque é que os rapazes mais
velhos são antipáticos para os mais novos? Talvez os cére-
bros deles se gastem mais depressa por causa do esforço de
fazerem ossos maiores e coisas do género, ou talvez tenham
lesões cerebrais por causa de praticarem tanto desporto, ou
talvez gostem de *ameaçar* e bater só por gostar. Quando for
para a universidade talvez estude o problema.

Vou publicar a minha tese e mandar um exemplar ao
Barry Kent. Talvez até lá ele já tenha aprendido a ler.

A minha mãe tinha-se esquecido de que hoje era dia de panquecas. Lembrei-a às onze da noite. Tenho a certeza de que as deixou queimar de propósito. Daqui a um mês faço catorze anos.

QUARTA-FEIRA, 4 DE MARÇO
Quarta-Feira de Cinzas

Hoje de manhã sofri um grande choque. Fui levar o saco dos jornais vazio à loja do Sr. Cherry e vi o Sr. Lucas a olhar para aquelas revistas da prateleira de cima. Pus-me atrás da prateleira das revistas de telenovelas e vi nitidamente ele a pegar na *Big and Bouncy*, a pagar e a sair com a revista escondida debaixo do casaco. Aquilo está cheio de fotografias indecentes. A minha mãe devia ser informada.

QUINTA-FEIRA, 5 DE MARÇO

O meu pai recebeu hoje o carro da garagem. Passou duas horas a lavá-lo e a admirá-lo. Reparei que o autocolante com uma mão a dizer adeus que lhe dei no Natal desapareceu do vidro de trás. Disse-lhe que devia queixar-se à garagem, mas ele disse que não queria arranjar confusão. Fomos a casa da minha avó para experimentar o carro. Ela deu-nos um copo de *Bovril* e uma fatia de um bolo de sementes que não prestava para nada. Não perguntou pela minha mãe, disse que o meu pai estava magro e pálido e precisava de «se alimentar bem».

Contou-me que o Bert Baxter tinha sido expulso dos Evergreens por se ter portado mal em Skegness. O autocarro esteve duas horas na estação à espera dele. Mandaram um grupo procurá-lo nos *pubs*, e passado um bocado o Bert apareceu, bêbedo mas sozinho, e tiveram de mandar outro grupo para procurar o primeiro. No fim de tudo tiveram de chamar a polícia, que demorou horas a juntar todos os reformados e a metê-los no autocarro.

A minha avó disse que a viagem de regresso foi um pesadelo. Os reformados vieram o caminho todo a pegarem-se uns com os outros. O Bert Baxter veio a recitar um poema porco sobre um esquimó, e a Sra. Harriman desmaiou e tiveram de lhe desapertar a cinta.

A minha avó disse que já morreram dois reformados desde o passeio, culpou o Bert Baxter e disse «que ele praticamente os assassinou», mas acho mais provável que tenha sido o frio de Skegness a matá-los. Eu disse-lhe que «o Bert Baxter não é assim tão mau depois de o conhecermos». Ela disse que não compreendia como é que Deus tinha levado o meu avô e tinha deixado escumalha como o Baxter. Depois começou a apertar os lábios e a limpar os olhos com o lenço, por isso nós viemos embora.

A minha mãe não estava em casa quando chegámos, entrou para um grupo qualquer de mulheres. Ouvi o meu pai dizer «boa noite» ao carro. Deve estar a ficar maluco!

SEXTA-FEIRA, 6 DE MARÇO
Lua nova

O Sr. Cherry está muito contente com o meu trabalho e aumentou-me dois *pence* e meio por hora. Ofereceu-me também a ronda da tarde da Corporation Row, mas recusei a oferta. A Corporation Row é para onde a Câmara manda todos os inquilinos indesejáveis. O Barry Kent mora no número 13. O Sr. Cherry deu-me dois números antigos da *Big and Bouncy*. Disse-me para eu não dizer nada à minha mãe. Como se eu fosse dizer! Pu-los debaixo do colchão. Os intelectuais como eu podem interessar-se por sexo. As pessoas comuns como o Sr. Lucas é que deviam ter vergonha.

Hoje telefonei para a Segurança Social a pedir apoio domiciliário para o Bert Baxter. Menti e disse que era neto dele. Vão mandar uma assistente social lá a casa na segunda-feira.

Usei o cartão da biblioteca do meu pai para trazer o *Guerra e Paz*. Perdi o meu.

Levei o cão para conhecer o *Blossom*. Deram-se bem.

SÁBADO, 7 DE MARÇO

Depois da ronda dos jornais, voltei para a cama e passei a manhã toda a ler as *Big and Bouncy*. *Senti-me* como nunca me tinha sentido.

Fui ao Sainsbury's com a minha mãe e com o meu pai, mas as senhoras de lá faziam-me lembrar as mulheres da

Big and Bouncy, até as que tinham mais de trinta anos! A minha mãe disse que parecia que eu estava quente e não estava bem e mandou-me para o parque de estacionamento subterrâneo fazer companhia ao cão.

O cão já tinha companhia, estava a ganir e a ladrar tão alto que havia uma data de gente à volta a dizer «coitadinho» e «que maldade deixarem o bichinho preso daquela maneira». O cão tinha enrolado a coleira na alavanca das mudanças e tinha os olhos quase fora das órbitas. Quando me viu tentou saltar e ia-se matando.

Tentei explicar às pessoas que vou ser veterinário quando for grande, mas elas não ligaram e começaram a falar da Sociedade Protetora dos Animais. O carro estava trancado e, por isso, tive de partir a janelinha pequena e destrancar a porta por dentro. O cão ficou doido de alegria quando lhe desembaracei a coleira e então as pessoas foram-se todas embora. O meu pai é que não ficou nada contente quando viu o vidro partido e teve um ataque de raiva. Atirou os sacos do Sainsbury's ao chão, partiu os ovos, esmagou os bolos e foi a guiar para casa depressa de mais. Ninguém disse nada no caminho até casa, e só o cão é que ia satisfeito.

Acabei o *Guerra e Paz*. É bastante bom.

DOMINGO, 8 DE MARÇO
Primeiro da Quaresma

A minha mãe foi a um *workshop* para mulheres sobre assertividade. Não aceitam homens. Perguntei ao meu pai o que é «formação em assertividade». Ele disse: «Só Deus sabe, mas, seja o que for, não vai ser bom para mim.»

O nosso jantar de domingo foi bacalhau com molho de manteiga congelado e, a seguir, pêssegos de lata e chantilly em spray para sobremesa. O meu pai abriu uma garrafa de vinho branco e deixou-me beber um bocado. Não percebo muito de vinhos, mas pareceu-me uma colheita bastante boa. Vimos um filme na televisão, depois a minha mãe apareceu e começou a mandar vir. Disse: «O verme voltou» e «As coisas vão começar a ser diferentes por aqui», e coisas assim. Depois foi para a cozinha e começou a fazer uma tabela para dividir os trabalhos caseiros por três. Chamei-lhe a atenção para o facto de já ter uma ronda de jornais para fazer, um velho reformado para cuidar e um cão para alimentar e, ainda, os trabalhos de casa, mas ela nem me ouviu, pôs a tabela na parede da cozinha e disse: «Começamos amanhã.»

SEGUNDA-FEIRA, 9 DE MARÇO
Dia da Comunidade Britânica

Limpei a casa de banho, lavei o lavatório e a banheira antes de fazer a ronda dos jornais. Vim para casa, fiz o pequeno-almoço, pus a roupa na máquina, fui para a escola. Dei o dinheiro da chantagem ao Barry Kent, fui a casa do Bert Baxter, esperei pela assistente social que não veio, almocei na escola. Tive Trabalhos Domésticos — fizemos tarte de maçã. Vim para casa. Aspirei o hall de entrada, a sala e a sala de jantar. Descasquei batatas, cortei a couve, cortei-me num dedo, limpei o sangue da couve. Pus as costeletas no grelhador, procurei uma receita de molho no livro de receitas. Fiz o molho. Esmaguei os grumos com uma espátula. Pus a mesa, servi o jantar, lavei a loiça. Pus as frigideiras queimadas de molho. Tirei a roupa da máquina; tudo azul, incluindo a roupa interior branca e os lenços. Pendurei a roupa. Dei de comer ao cão. Passei o fato de ginástica a ferro, limpei os sapatos. Fiz os trabalhos de casa. Fui passear o cão, tomei banho. Lavei a banheira. Fiz três chávenas de chá. Lavei as chávenas. Fui para a cama. Ter uma mãe assertiva não é pera doce!

TERÇA-FEIRA, 10 DE MARÇO
Nascimento do príncipe Eduardo, 1964

Porque é que eu não nasci príncipe Eduardo e o príncipe Eduardo não nasceu Adrian Mole? Sou tratado como um escravo.

QUARTA-FEIRA, 11 DE MARÇO

Fui para a escola a arrastar-me depois de ter feito a ronda dos jornais e o trabalho da casa. A minha mãe não me escreveu uma justificação para ter dispensa de Ginástica e, então, deixei o fato em casa. Não conseguia imaginar-me a correr ao vento e ao frio.

O sádico do Sr. Jones obrigou-me a ir a casa a correr buscar o fato de ginástica. O cão deve-me ter seguido, porque quando cheguei à escola já lá estava ao pé do portão. Tentei impedir que ele entrasse, mas passou pelas grades e seguiu-me até ao recreio. Fui a correr para o vestiário e não deixei o cão entrar, mas ouvia o ladrar dele a ecoar pela escola toda. Tentei esgueirar-me para os campos de jogos, mas o cão viu-me e veio atrás de mim, mas depois viu a bola e juntou-se à aula! O cão é o máximo a jogar futebol, até o Sr. Jones se riu até o cão furar a bola.

O Sr. Scruton, o reitor de olhos esbugalhados, viu tudo da janela do gabinete. Mandou-me levar o cão a casa. Disse-lhe que ia perder o lugar no refeitório, mas ele disse que era para eu aprender a não levar animais para a escola.

A Sra. Leech, a supervisora da cozinha, fez uma coisa muito querida. Pôs o meu arroz de caril, o pudim e o leite--creme no forno para ficarem quentes. A Sra. Leech não gosta do Sr. Scruton e, por isso, deu-me um osso com tutano para levar para o cão.

QUINTA-FEIRA, 12 DE MARÇO

Hoje de manhã, quando acordei, tinha a cara cheia de borbulhas vermelhas gigantescas. A minha mãe disse que era por causa dos nervos, mas eu continuo convencido de que não me alimento convenientemente. Temos comido montes de porcarias prontas a comer nos últimos tempos. Se calhar, sou alérgico ao plástico das embalagens. A minha mãe telefonou à rececionista do Dr. Gray para marcar uma consulta, mas ele não pode ver-me antes de segunda-feira! Por ele, eu podia ter o vírus Ébola e andar por aí a espalhá-lo pelas redondezas! Disse à minha mãe para dizer que era um caso urgente, mas ela disse que eu estava a «exagerar, como de costume». Disse que ter umas borbulhas não significava que eu estivesse a morrer. Nem conseguia acreditar quando ela disse que ia para o emprego como de costume. Então o filho dela não devia estar antes do emprego?

Telefonei à minha avó e ela veio de táxi e levou-me para casa dela e meteu-me na cama. É onde eu estou agora. É muito limpa e sossegada. Estou com um pijama do meu avô, que já morreu. Acabei agora de comer uma tigela de papa de aveia e sopa de carne. É a primeira vez em várias semanas que me alimento decentemente.

Acho que vai haver discussão quando a minha mãe chegar a casa e vir que eu me vim embora. Mas, francamente, meu querido diário, estou-me nas tintas.

SEXTA-FEIRA, 13 DE MARÇO
Quarto crescente

O médico de serviço veio a casa da minha avó ontem às onze e meia da noite. Diagnosticou-me *acne vulgaris*. Disse que é tão comum que é considerado um estado próprio da adolescência. Achou que era muito improvável eu ter apanhado o vírus Ébola porque não fui a África este ano. Disse à minha avó para tirar os lençóis desinfetados das portas e das janelas. A minha avó disse que queria uma segunda opinião. Foi então que o médico perdeu as estribeiras. Gritou muito alto: «O rapaz só tem umas borbulhas de adolescente, por amor de Deus!»

A minha avó disse que ia fazer queixa à Ordem dos Médicos, mas ele deu uma gargalhada, desceu as escadas e bateu com a porta. O meu pai passou por cá antes de ir para o emprego e trouxe o meu trabalho de casa de Estudos Sociais e o cão. Disse que se eu estivesse na cama quando ele voltasse à hora do almoço me dava uma sova que eu nem sabia de que terra era.

Levou a minha avó para a cozinha e tiveram uma conversa em voz alta. Ouvi-o dizer: «As coisas estão muito más entre mim e a Pauline e o que nós andamos a discutir agora é quem é que *não fica* com a custódia do Adrian.» De certeza que o meu pai se enganou. Devia querer dizer quem é que *ia ficar* com a minha custódia.

Portanto, aconteceu o pior, a minha pele está um nojo e os meus pais vão-se separar.

SÁBADO, 14 DE MARÇO

Já é oficial. Vão-se divorciar! Nenhum deles quer sair de casa, por isso o quarto de hóspedes está a ser transformado para o meu pai. Isto pode ter um efeito muito mau em mim. Pode vir a impedir-me de ser veterinário.

Hoje de manhã, a minha mãe deu-me cinco libras e disse para eu não dizer nada ao meu pai. Comprei um creme para as borbulhas e o último LP dos Abba.

Telefonei ao Sr. Cherry e disse que estava com problemas pessoais e que não podia ir trabalhar durante algumas semanas. O Sr. Cherry disse que já sabia que os meus pais iam divorciar-se porque o meu pai tinha lá ido cancelar a assinatura da *Cosmopolitan* da minha mãe.

O meu pai deu-me cinco libras e disse-me para não dizer nada à minha mãe. Gastei uma parte do dinheiro em papel e envelopes roxos para os tipos da BBC ficarem impressionados e lerem os meus poemas. O resto vai ter de ir para o Barry Kent e a chantagem dele. Acho que não há ninguém no mundo tão infeliz como eu. Se não fosse a minha poesia, já tinha dado em doido há muito tempo.

Fui dar um passeio triste e levei um quilo de maçãs ao cavalo da Pandora. Pensei num poema sobre o *Blossom*. Escrevi-o quando voltei para a casa onde moro.

«Blossom», de Adrian Mole, quase com catorze anos
Pequeno Cavalo Castanho
A comer maçãs num campo,
Talvez um dia
O meu coração sare.
Afago os lugares onde Pandora se sentou
Com as suas calças de montar e o chapéu de cavaleira.
Adeus, cavalo castanho.
Viro-me e afasto-me,
A chuva e a lama molham-me os pés.

Mandei-o para a BBC. Escrevi «Urgente» no envelope.

DOMINGO, 15 DE MARÇO
Segundo da Quaresma

A casa está muito sossegada. O meu pai está no quarto de hóspedes a fumar e a minha mãe no quarto a fumar. Não têm comido quase nada.

O Sr. Lucas telefonou três vezes à minha mãe. Ela só lhe diz «ainda não, é muito cedo». Talvez ele a tenha convidado para ir ao *pub* beber um copo e esquecer os problemas.

O meu pai levou a aparelhagem para o quarto dele. Está sempre a ouvir os discos do Jim Reeves e a olhar pela janela. Levei-lhe uma chávena de chá e ele disse: «Obrigado, filho», com uma voz emocionada.

A minha mãe estava a ver umas cartas antigas com a letra do meu pai quando lhe levei o chá. Disse: «O que estarás tu a pensar de nós, Adrian?» Disse-lhe que o Rick Lemon, o chefe do Clube Juvenil, acha que o divórcio é culpa da sociedade. A minha mãe disse: «Que se lixe a sociedade.»

Lavei e passei a ferro a farda da escola para amanhã. Estou a ficar bastante bom nos trabalhos caseiros.

As minhas borbulhas são tão horríveis que não suporto escrever sobre elas. Vou ser o bombo da festa da escola toda.

Estou a ler *O Homem da Máscara de Ferro*. Sei exatamente como ele se sente.

SEGUNDA-FEIRA, 16 DE MARÇO

Fui para a escola. Estava fechada. Estou tão angustiado que me esqueci de que estou de férias. Não queria ir para casa, por isso fui antes visitar o Bert Baxter. Ele disse que a assistente social tinha ido vê-lo e que tinha prometido arranjar uma casota nova para o *Sabre* mas que não conseguia que ele tivesse assistência domiciliária. (O Bert, não o *Sabre*.)

Devia haver outra vez loiça de uma semana no lava-loiça. O Bert diz que a guarda para mim porque eu a lavo muito bem. Enquanto estava a lavar a loiça, disse ao Bert que os meus pais iam divorciar-se. Ele disse que não concordava com divórcios. Disse que tinha sido casado durante trinta e cinco anos de infelicidade, portanto porque é que alguém havia de se safar disso? Disse-me que tem quatro filhos e que nenhum vem visitá-lo. Dois deles estão na Austrália, por isso não têm culpa, mas acho que os outros dois deviam ter vergonha. O Bert mostrou-me uma fotografia da mulher, que já morreu, tirada no tempo em que ainda não havia cirurgia plástica. Disse-me que era moço de estrebaria antes de se casar (moço de estrebaria é uma pessoa que faz coisas com cavalos) e que só reparou que a mulher tinha cara de cavalo quando deixou esse trabalho e começou a trabalhar nos caminhos de ferro. Perguntei-lhe se gostava de tornar a ver um cavalo. Ele disse que gostava, por isso levei-o a ver o *Blossom*.

Demorámos que tempos a chegar lá. O Bert anda muito devagarinho e estava sempre a ter de se sentar nos muros

dos jardins, mas acabámos por lá chegar. O Bert disse que o
Blossom não era um cavalo, que era um pónei de menina.
Esteve sempre a fazer-lhe festinhas e a dizer: «Quem é que
é bonito, hã?» Depois o *Blossom* foi dar uma corridinha,
e nós sentámo-nos no carro abandonado, e o Bert fumou
um cigarro e eu comi um *Mars*. Depois voltámos para casa
do Bert. Fui às compras e trouxe um pacote de *chow min* e
um pudim instantâneo de caramelo para o jantar, por isso
pelo menos desta vez o Bert comeu uma refeição decente.
Vimos o *Jornal da Uma* e depois o Bert mostrou-me escovas
de cavalos antigas e fotografias da casa onde trabalhava
quando era novo. Disse-me que se tinha tornado comunista
quando trabalhava lá, mas adormeceu antes de me explicar
porquê.

Vim para casa, não estava cá ninguém, por isso ouvi os
meus discos dos Abba no máximo até a surda que mora ao
nosso lado começar a bater na parede.

TERÇA-FEIRA, 17 DE MARÇO
Dia de São Patrício. Feriado na Irlanda do Norte
e na República da Irlanda

Estive a ver as *Big and Bouncy*. Medi a minha «coisa», tinha
onze centímetros.

O Sr. O'Leary, que mora do outro lado da rua, estava
bêbedo às dez da manhã! Foi expulso do talho por estar
a cantar.

QUARTA-FEIRA, 18 DE MARÇO

A minha mãe e o meu pai estão os dois a falar com advogados. Espero que estejam a discutir por quererem ficar os dois com a minha custódia. Vou ser um filho da discórdia e a minha fotografia vai aparecer nos jornais. Espero que as minhas borbulhas desapareçam até lá.

QUINTA-FEIRA, 19 DE MARÇO

O Sr. Lucas pôs a casa dele à venda. A minha mãe diz que ele está a pedir trinta mil libras!!

O que é que ele vai fazer com tanto dinheiro?

A minha mãe diz que vai comprar uma casa maior. Como é que se pode ser tão estúpido?

Se eu tivesse trinta mil libras ia passear pelo mundo e ter muitas aventuras.

Não levava nenhum dinheiro verdadeiro, porque li que a maioria dos estrangeiros são ladrões. Em vez disso, mandava coser três mil libras em *traveller's cheques* nas minhas calças. Antes de me ir embora ia:

a) Mandar três dúzias de rosas vermelhas à Pandora.
b) Pagar cinquenta libras a um mercenário para dar uma tareia ao Barry Kent.
c) Comprar a melhor bicicleta de corrida do mundo e passar com ela à frente da casa do Nigel.

d) Encomendar uma caixa enorme de comida para cães da mais cara para o cão ser bem alimentado enquanto eu estivesse fora.

e) Comprar uma governanta para o Bert Baxter.

f) Oferecer à minha mãe e ao meu pai mil libras (*a cada um*) para ficarem juntos.

Quando voltasse do mundo havia de estar alto, bronzeado e cheio de aventuras giras e a Pandora havia de passar as noites a chorar agarrada à almofada por ter perdido a oportunidade de ser Sra. Pandora Mole. Tirava um curso de veterinário em tempo recorde e comprava uma casa de campo. Convertia um dos quartos num escritório para ter um sítio calmo onde pudesse ser intelectual.

Não ia desperdiçar trinta mil libras numa casa geminada!

SEXTA-FEIRA, 20 DE MARÇO
Primeiro dia da primavera. Lua cheia

Hoje é o primeiro dia da primavera. A Câmara cortou todos os ulmeiros da Elm Tree Avenue.

SÁBADO, 21 DE MARÇO

Os meus pais andam a comer coisas diferentes a horas diferentes, por isso eu ando a comer seis refeições por dia porque não quero magoar ninguém.

A televisão agora está no meu quarto, porque eles não conseguiram decidir quem é que ficava com ela. Posso ficar deitado a ver o filme de terror que passa sempre a altas horas da noite.

Estou a começar a ficar desconfiado dos sentimentos da minha mãe para com o Sr. Lucas. Encontrei um bilhete dele para ela; diz: «Pauline, quanto tempo mais? Por amor de Deus, foge comigo. Teu para sempre, Bimbo.»

Embora esteja assinado «Bimbo», sei que é do Sr. Lucas porque está escrito nas costas da conta de eletricidade dele.

O meu pai devia ser informado. Guardei o bilhete debaixo do colchão ao pé das *Big and Bouncy*.

DOMINGO, 22 DE MARÇO
Terceiro da Quaresma. Começa a hora de verão em Inglaterra

Hoje a minha avó faz anos. Tem setenta e seis e parece tê-los. Levei-lhe um cartão e uma flor num vaso; são lírios-leopardo, mas o nome estrangeiro é *Dieffenbachia*. Tinha uma etiqueta de plástico enterrada na terra do vaso que dizia: «Cuidado: a seiva desta planta é venenosa.» A minha avó perguntou-me quem é que tinha escolhido a planta. Disse-lhe que tinha sido a minha mãe.

A minha avó está muito contente por os meus pais se irem divorciar! Disse que sempre achou que a minha mãe tinha qualquer coisa de depravado e que agora estava à vista que ela tinha razão.

Não gostei de ouvir falar assim da minha mãe, por isso vim para casa. Fingi à minha avó que tinha combinado ir ter com um amigo. Mas a verdade é que já não tenho nenhum amigo. Deve ser porque sou um intelectual. Acho que as pessoas se sentem distanciadas de mim. Fui ver ao dicionário o que quer dizer «depravado». Não é nada bonito!

SEGUNDA-FEIRA, 23 DE MARÇO

De volta à escola, sorte maldita! Tivemos Trabalhos Domésticos. Fizemos batatas recheadas com queijo no forno. As minhas batatas eram maiores que as dos outros todos e por isso não estavam bem assadas quando acabou a aula e então acabei-as em casa do Bert Baxter. Ele queria ir ver o *Blossom* outra vez. Era um bocado chato por ele andar tão devagarinho. Mas lá fomos, tudo é melhor do que ter Matemática na escola.

O Bert levou as escovas de cavalos e deu uma boa escovadela ao *Blossom*; estava a brilhar como uma avelã quando ele acabou. O Bert estava sem fôlego e, por isso, sentámo-nos no carro abandonado e ele fumou um cigarro, depois voltámos para casa dele.

O *Sabre* anda mais bem-disposto desde que tem a casota nova e a casa do Bert está com melhor aspeto desde que o *Sabre* está lá fora. O Bert disse-me que a assistente social achava que era melhor ele ir para um lar de idosos onde possam tomar conta dele. O Bert não quer ir. Mentiu à assistente, disse-lhe que o neto ia todos os dias lá a casa tratar dele. A assistente social disse que ia investigar, por isso posso vir a ter problemas de personificação!!! Não sei quantas mais preocupações consigo aguentar.

TERÇA-FEIRA, 24 DE MARÇO

Ontem à noite vi a minha mãe e o Sr. Lucas a saírem no carro do Sr. Lucas. Iam a um sítio especial, porque a minha mãe levava o fato-macaco com lantejoulas. Realmente estava com um ar um bocado depravado. O Sr. Lucas levava o seu melhor fato e montes de joias de ouro. Para um velho, até sabe vestir-se bem.

Se o meu pai tivesse mais cuidado com a aparência, nada disto tinha acontecido. Por aí se vê que qualquer mulher prefere um homem que usa fato e montes de coisas de ouro a outro como o meu pai, que raramente faz a barba e usa roupas velhas e nenhum ouro.

Vou ficar acordado para ver a que horas é que a minha mãe chega.

Meia-noite. A mãe ainda não chegou.

2 da manhã. Não há sinais da minha mãe.

QUARTA-FEIRA, 25 DE MARÇO
Anunciação da Virgem Maria

Adormeci, portanto não sei a que horas é que a minha mãe chegou a casa. O meu pai disse que ela tinha ido ao jantar de Natal com baile da companhia de seguros. Em março! Desce à terra, pai! Não nasci ontem! Hoje na aula de Ginástica tivemos natação. A água estava gelada e os vestiários também. Vou tentar ficar com pé de atleta para não ter de ir na próxima semana.

QUINTA-FEIRA, 26 DE MARÇO

O Barry Kent foi apanhado pela polícia a andar numa bicicleta sem luzes atrás. Espero que o mandem para um reformatório. Um susto forte fazia-lhe bem.

SEXTA-FEIRA, 27 DE MARÇO

A Pandora e o Nigel acabaram o namoro! Toda a escola sabe. Há séculos que não recebia uma notícia tão boa.

Estou a ler a *Madame Bovary*, de outro escritor franciú.

SÁBADO, 28 DE MARÇO
Quarto minguante

O Nigel acaba de sair, está de rastos. Tentei reconfortá-lo. Disse-lhe que há mais marés do que marinheiros. Mas ele estava demasiado chateado para me ouvir.

Falei-lhe das minhas suspeitas em relação à minha mãe e ao Sr. Lucas e ele disse que isso já durava há muito tempo. Toda a gente sabia menos eu e o meu pai!!

Tivemos uma grande conversa sobre bicicletas de corrida, e depois o Nigel foi para casa pensar na Pandora.

Amanhã é o Dia da Mãe. Ainda não sei se lhe compro alguma coisa ou não. Só tenho sessenta e oito *pence*.

DOMINGO, 29 DE MARÇO
Quarto da Quaresma. Dia da Mãe

Ontem à noite o meu pai deu-me três libras. Disse-me: «Compra uma prenda decente para a tua mãe, filho, pode ser a última vez.» Não estava para ir o caminho todo até à cidade por causa dela, por isso fui ao Sr. Cherry e comprei uma caixa de *Black Magic* e um cartão a dizer «Para uma mãe maravilhosa».

Os fabricantes de cartões devem pensar que as mães são todas maravilhosas porque todos os cartões têm «maravilhosa» escrito num sítio qualquer. Apeteceu-me riscar o «maravilhosa» e escrever «depravada» por cima, mas não fiz isso. Assinei «do teu filho, Adrian». Dei-lho de manhã. Ela disse: «Não te devias ter incomodado, Adrian.» Tinha razão, não devia.

Agora tenho de acabar. A minha mãe preparou uma coisa a que chamou «reunião civilizada». O Sr. Lucas também vem. Como era natural, *eu* não fui convidado! Vou ficar a ouvir à porta.

SEGUNDA-FEIRA, 30 DE MARÇO

Aconteceu uma coisa terrível ontem à noite. O meu pai e o Sr. Lucas andaram à pancada no jardim *da frente* e veio a rua em peso ver! A minha mãe tentou separá-los, mas disseram-lhe os dois para «não se meter». O Sr. O'Leary tentou ajudar o meu pai e não parava de gritar: «Dá uma coça a esse sacana por mim, George.» A Sra. O'Leary fartou-se de gritar coisas indecentes à minha mãe. Pelo que percebi, ela andava a espiar os movimentos da minha mãe desde o Natal. A reunião civilizada acabou às cinco da manhã, quando o meu pai descobriu há quanto tempo é que a minha mãe e o Sr. Lucas estavam apaixonados.

Fizeram outra reunião civilizada por volta das sete, mas quando a minha mãe revelou que se ia embora para Sheffield com o Sr. Lucas, o meu pai ficou incivilizado e começou a querer andar à luta. O Sr. Lucas fugiu para o jardim, mas o meu pai fez-lhe uma placagem como no râguebi junto ao loureiro e começaram outra vez a andar à pancada. Até foi bastante excitante. Vi tudo muito bem da janela do meu quarto. A Sra. O'Leary disse: «Tenho pena é da criança», e olharam todos para cima e viram-me e então eu fiz uma cara muito triste. Acho que a experiência me vai traumatizar para o futuro. Por enquanto estou bem, mas nunca se sabe.

TERÇA-FEIRA, 31 DE MARÇO

A minha mãe foi para Sheffield com o Sr. Lucas. Teve de ir ela a guiar, porque o Sr. Lucas não via nada por causa dos olhos negros. Informei a secretária da escola da deserção da minha mãe. Ela foi muito simpática e deu-me um impresso para levar ao meu pai. É para almoçar de graça na escola. Agora somos uma família monoparental.

O Nigel pediu ao Barry Kent para deixar de me ameaçar durante umas semanas. O Barry Kent disse que ia pensar nisso.

PRIMAVERA

QUARTA-FEIRA, 1 DE ABRIL
Dia das Mentiras

O Nigel telefonou cá para casa hoje a dizer que era da agência funerária e perguntou quando é que podia vir buscar o
corpo. Foi o meu pai que atendeu o telefone. Francamente!
Não tem o mínimo sentido de humor.

Fartei-me de rir a dizer às miúdas que tinham a combi-
nação à mostra quando não tinham. O Barry Kent trouxe
um pacote de pó de fazer cócegas para a aula de Desenho
e pôs um bocado nas botas da Sra. Fossington-Gore. Aí está
outra que não tem o mínimo sentido de humor. O Barry
Kent também me deitou pó nas costas. Não teve piada
nenhuma. Tive de ir à enfermeira para mo tirar.

A casa está uma pocilga porque o meu pai não faz
nada. O cão farta-se de chorar pela minha mãe.

Nasci há exatamente treze anos e trezentos e sessenta
e quatro dias.

QUINTA-FEIRA, 2 DE ABRIL

Hoje faço catorze anos! O meu pai deu-me um fato de treino e uma bola de futebol (é completamente insensível às minhas necessidades), a minha avó Mole deu-me um livro de carpintaria para rapazes (sem comentários). O meu avozinho Sugden deu-me uma libra dentro de um cartão (o último dos perdulários). O melhor de tudo foram dez libras da minha mãe e cinco libras do Sr. Lucas (dinheiro dos remorsos).

O Nigel mandou-me um cartão a gozar. Dizia à frente: «Quem é que é *sexy*, inteligente e bonito?» Lá dentro dizia: «Tu não és, de certeza, pá!!!» O Nigel escreveu: «Sem ofensa, amigo.» Pôs dez *pence* dentro do envelope.

O Bert Baxter mandou um cartão para a escola porque não sabe a minha morada. Tem uma letra impecável. O cartão tinha uma fotografia de um lobo-d'alsácia na frente, e o Bert escreveu lá dentro: «Felicidades do Bert e do *Sabre*. P. S.: O esgoto está completamente entupido.» Dentro do cartão vinha um vale de livros de dez xelins. A validade tinha acabado em 1958, mas foi uma ideia muito simpática.

Até que enfim que já tenho catorze anos! Esta noite estive a ver-me bem ao espelho e acho que consigo detetar uma certa maturidade. (Tirando a porcaria das borbulhas.)

SEXTA-FEIRA, 3 DE ABRIL

Hoje tive a nota mais alta no teste de Geografia. Boa! Orgulho-me de dizer que tive vinte valores! Também fui elogiado pela boa apresentação do meu trabalho. Não há nada que eu não saiba sobre a indústria de cabedais da Noruega. Parece que dá gozo ao Barry Kent ser tão ignorante. Quando a Sra. Elf lhe perguntou onde é que ficava a Noruega em relação à Inglaterra, ele disse: «Prima em segundo grau.» Custa-me dizer que até a Pandora se riu com o resto da turma. Só a Sra. Elf e eu é que ficámos sérios. Desentupi o esgoto do Bert Baxter, estava cheio de ossos velhos e folhas de chá. Disse ao Bert que devia passar a usar chá em saquetas. Caramba, estamos no século xx! O Bert disse que ia experimentar. Disse-lhe que a minha mãe tinha fugido com um homem dos seguros. Ele disse: «Foi uma catástrofe natural?», e depois riu-se até às lágrimas.

SÁBADO, 4 DE ABRIL
Lua nova

Hoje eu e o meu pai limpámos a casa. Não tínhamos alternativa: a minha avó vem cá lanchar amanhã. À tarde fomos ao Sainsbury's. O meu pai escolheu um carrinho que era impossível de guiar e que guinchava como se alguém estivesse a torturar ratinhos. Fiquei com vergonha que me ouvissem com ele. O meu pai escolheu comida que faz mal. Tive de bater o pé para ele comprar fruta fresca e verduras. Quando chegámos à caixa, não conseguia encontrar o cartão e a menina da caixa não aceitava um cheque, por isso teve de vir o gerente para acabar com a discussão. Tive de emprestar uma parte do dinheiro que recebi nos anos ao meu pai. Deve-me oito libras e trinta e oito *pence* e meio. Obriguei-o a escrever uma nota de dívida nas costas do talão da caixa.

Mas devo dizer que tiro o chapéu ao Sainsbury's, pois parece ser frequentado por pessoas das classes mais altas. Vi um padre a escolher papel higiénico; escolheu um pacote de quatro rolos violeta de três folhas. Deve ter dinheiro para deitar à rua! Podia ter comprado papel branco e dado a diferença aos pobres. Que hipócrita!

DOMINGO, 5 DE ABRIL
Domingo da Paixão

O Nigel veio cá a casa esta manhã. Continua louco pela Pandora. Tentei distraí-lo, falando-lhe da indústria de cabedais da Noruega. Não sei porquê, mas não consegui que ele se interessasse.

Obriguei o meu pai a levantar-se à uma da tarde. Não percebo porque é que ele há de ficar na ronha na cama o dia todo depois de eu já estar a pé e a andar de um lado para o outro. Ele levantou-se e foi lá para fora lavar o carro. Encontrou um brinco da minha mãe no banco de trás e ficou para ali sentado a olhar para ele. Disse: «Sentes falta da tua mãe, Adrian?» Eu respondi: «Claro que sinto, mas a vida tem de continuar.» Então ele disse: «Não sei porquê.» Interpretei aquilo como uma alusão ao suicídio, por isso subi imediatamente as escadas e tirei da casa de banho tudo o que pudesse ser perigoso.

Depois de acabarmos de almoçar (carne assada conge-lada), quando eu estava a lavar a loiça, ele gritou da casa de banho onde é que estava a gilete. Menti e disse-lhe que não sabia. Depois escondi todas as facas e utensílios afiados da gaveta da cozinha. Ele tentou pôr a máquina de barbear a funcionar, mas as pilhas tinham babado e estavam todas verdes.

Gosto de pensar que tenho uma mente aberta, mas a linguagem que o meu pai utilizou foi para lá de todos os limites e só por não ter podido fazer a barba! O lanche foi uma chatice. A minha avó esteve sempre a dizer coisas horríveis da minha mãe e o meu pai a dizer que sentia muito a falta dela. Ninguém reparou sequer que eu também estava ali! Deram mais atenção ao cão do que a mim!

A minha avó ralhou com o meu pai por estar a deixar crescer a barba. Disse-lhe: «Podes achar que tem graça pareceres um comunista, George, mas eu não acho graça nenhuma.» Disse que até quando tinha estado nas trin-cheiras em Ypres o meu avô fazia a barba todos os dias. Às vezes tinha de impedir os ratos de lhe comerem o sabão da barba. Disse que até o cangalheiro tinha feito a barba ao meu avô quando já estava no caixão, por isso, se os mortos podiam fazer a barba, os vivos não tinham desculpa. O meu pai tentou explicar, mas a minha avó não parou de falar um minuto e por isso foi um bocado difícil.

Ficámos os dois satisfeitos quando ela se foi embora.

Estive a ver as *Big and Bouncy*. Afinal é Domingo da Paixão!

SEGUNDA-FEIRA, 6 DE ABRIL

Recebi um postal da minha mãe. Dizia que «eles» estão em casa de uns amigos até arranjarem um apartamento e que eu podia ir passar um fim de semana com eles quando estiverem instalados. Não o mostrei ao meu pai.

TERÇA-FEIRA, 7 DE ABRIL

A minha preciosa Pandora anda a sair com o Craig Thomas. Nunca mais cheiras um *Mars* dado por mim, Thomas!

O Barry Kent está metido em sarilhos por ter desenhado uma mulher nua na aula de Desenho. A Sra. Fossington-Gore disse que não era tanto por causa do tema, mas pela ignorância que ele demonstrava em relação aos factos biológicos mais básicos. Fiz um desenho muito bom do Incrível Hulk a dar cabo do Craig Thomas. A Sra. Fossington-Gore disse que era uma «poderosa expressão de opressão monolítica».

Telefonema da minha mãe. A voz dela estava esquisita, como se estivesse constipada. Fartou-se de dizer: «Um dia hás de compreender, Adrian.» Por trás ouvia-se um barulho que parecia ser alguém a sorver. Acho que devia ser o Sr. Lucas a dar-lhe beijos no pescoço. Já vi fazerem isso nos filmes.

QUARTA-FEIRA, 8 DE ABRIL

O meu pai não escreveu uma justificação para eu ser dispensado da aula de Ginástica e por isso passei toda a manhã em pijama a saltar para dentro de uma piscina e a apanhar um tijolo do fundo. Tomei banho quando cheguei a casa, mas ainda cheiro a cloro. Não vejo onde é que está a utilidade de um exercício destes. Quando for crescido não vou andar a passear nas margens de um rio em pijama, pois não? E quem é que vai ser estúpido ao ponto de mergulhar num rio por causa de uma porcaria de um tijolo? Há tijolos por todo o lado!

QUINTA-FEIRA, 9 DE ABRIL

O meu pai e eu tivemos uma grande conversa ontem à noite. Perguntou-me com quem é que eu preferia viver, com ele ou com a minha mãe? Eu disse com os dois. Ele disse-me que tinha ficado amigo de uma rapariga lá do emprego chamada Doreen Slater. Disse que gostava que eu a conhecesse. Lá vamos nós outra vez; afinal, onde é que está o marido suicida, destroçado e abandonado?

SEXTA-FEIRA, 10 DE ABRIL

Telefonei à minha avó a contar-lhe da Doreen Slater. A minha avó não pareceu ficar muito satisfeita, disse que era um nome vulgar e eu estou inclinado a concordar com ela.

Fui buscar *À Espera de Godot* à biblioteca. Fiquei desapontado por descobrir que é uma peça de teatro. De qualquer maneira, vou tentar. Ultimamente tenho andado a negligenciar o meu cérebro.

O Nigel convidou-me para passar lá o fim de semana. Os pais dele vão a um casamento em Croydon. O meu pai disse que eu podia. Pareceu bastante satisfeito. Amanhã de manhã vou para casa do Nigel.

Começaram hoje as férias da Páscoa. Tenho de tentar manter o meu cérebro ativo.

SÁBADO, 11 DE ABRIL
Quarto crescente

O Nigel tem montes de sorte. A casa dele é absolutamente fantástica! É tudo moderno. Não sei o que é que ele pensará da nossa casa. Temos lá móveis com mais de cem anos!

O quarto dele é gigantesco e tem aparelhagem, televisão a cores, um leitor de cassetes, uma pista *Scalextric*, uma guitarra elétrica e um amplificador. Focos por cima da cama. Paredes pretas e uma carpete branca e uma colcha com carros de corrida. Tem montes de números antigos da *Big and Bouncy*, por isso estivemos a vê-las e depois o Nigel foi tomar um duche frio enquanto eu fiz a sopa e cortei o pão. Fartámo-nos de rir com o *À Espera de Godot*. O Nigel ficou histérico quando lhe disse que Vladimir e Estragão pareciam nomes de pílulas anticoncecionais.

Dei uma volta na bicicleta de corrida do Nigel. Agora quero uma mais do que qualquer outra coisa no mundo. Se tivesse de escolher entre a Pandora e uma bicicleta de corrida, escolhia a bicicleta. Desculpa, Pandora, mas as coisas são como são. Fomos a uma Fish & Chips e foi o máximo.

Peixe frito, batatas fritas, picles, ervilhas guisadas. O Nigel não acha nada caro, recebe uma mesada enorme. Passeámos um bocado e depois voltámos para casa e estivemos a ver *O Monstro dos Olhos Esbugalhados Ataca de Novo* na televisão. Eu disse que o monstro dos olhos esbugalhados parecia o Sr. Scruton, o reitor. O Nigel ficou outra vez histérico. Acho que tenho imenso talento para divertir as pessoas. Talvez mude de ideias quanto a ser veterinário e tente escrever comédias para a televisão.

Quando o filme acabou, o Nigel disse: «Que tal um copo?» Foi ao bar ao canto da sala e preparou um uísque forte com soda para cada um. Nunca tinha provado uísque a sério e nunca mais vou querer provar. Não sei como é que as pessoas podem beber uísque por prazer. Se fosse um remédio, deitavam-no pela pia abaixo!

Não me lembro de ter ido para a cama, mas devo ter ido porque estou sentado na cama dos pais do Nigel a escrever o meu diário.

DOMINGO, 12 DE ABRIL
Domingo de Ramos

Este fim de semana com o Nigel abriu-me mesmo os olhos! Sem saber, vivi na pobreza durante os últimos catorze anos. Tive de aguentar instalações de má qualidade, comida nojenta e semanadas miseráveis. Se o meu pai não consegue proporcionar-me um nível de vida decente com o ordenado que tem, vai ter de começar a procurar outro emprego. Assim como assim, ele está sempre a queixar-se por ter de andar a impingir caloríferos elétricos. O pai do Nigel trabalhou como um escravo para criar um ambiente moderno para a família dele. Talvez se o *meu* pai tivesse feito um bar em fórmica no canto da *nossa* sala a minha mãe ainda estivesse a viver connosco. Mas não. O meu pai ainda por cima gaba-se da nossa mobília centenária.

Sim! Em vez de se envergonhar das nossas velharias, o meu pai orgulha-se daquelas porcarias.

O meu pai devia aprender com a Grande Literatura. A Madame Bovary fugiu daquele idiota do Doutor Bovary porque ele não podia satisfazer as necessidades dela.

SEGUNDA-FEIRA, 13 DE ABRIL

Recebi um bilhete do Sr. Cherry a perguntar quando é que posso recomeçar a minha distribuição de jornais. Mandei--lhe outro bilhete a dizer que devido à deserção da minha mãe ainda estou mentalmente perturbado. E é verdade. Ontem levei uma meia de cada nação sem dar por nada. Uma era encarnada e a outra verde. Tenho de me recompor. Ainda posso acabar num manicómio.

TERÇA-FEIRA, 14 DE ABRIL

Recebi um postal da minha mãe. Arranjou um apartamento e quer que a vá visitar e ao Lucas o mais depressa possível.

Porque é que a minha mãe não pode escrever uma carta como qualquer pessoa normal? Porque é que o carteiro há de poder saber dos meus assuntos confidenciais? A nova morada dela é President Carter Walk, 79-A, Sheffield.

Perguntei ao meu pai se podia ir; ele disse: «Podes, desde que ela mande dinheiro para o bilhete do comboio.» Portanto, escrevi uma carta à minha mãe a pedir que mande onze libras e oitenta *pence*.

QUARTA-FEIRA, 15 DE ABRIL

Fui ao Clube Juvenil com o Nigel. Foi o máximo. Jogámos pingue-pongue até partir as bolas. Depois jogámos matraquilhos. Ganhei ao Nigel por cinquenta a treze. O Nigel ficou amuado e disse que só tinha perdido porque as pernas do guarda-redes dele estavam coladas com fita-cola, mas não era verdade. Foi a minha perícia superior que o derrotou.

Um grupo de *punks* fez comentários pouco agradáveis acerca das minhas calças à boca de sino, mas o Rick Lemon, o chefe do Clube Juvenil, meteu-se na conversa e levou a discussão para a questão do gosto pessoal. Todos concordámos que devia ser cada pessoa a escolher o que deve ou não vestir. De qualquer maneira, acho que vou pedir ao meu pai se pode comprar-me umas calças novas. Não há muitos rapazes de catorze anos que ainda usem calças à boca de sino e eu não quero dar nas vistas.

O Barry Kent tentou entrar pela saída de incêndio para não pagar os cinco *pence*. Mas o Rick Lemon empurrou-o lá para fora e ficou à chuva. Fiquei muito satisfeito. Estou a dever duas libras ao Barry Kent do dinheiro da chantagem.

QUINTA-FEIRA, 16 DE ABRIL

Recebi um cartão de parabéns da minha tia Susan, duas semanas atrasado! Ela esquece-se sempre da data. O meu pai diz que ela está sob uma grande pressão por causa do trabalho, mas não vejo porquê. Sempre pensei que ser guarda prisional devia ser facílimo, pensando bem é só trancar e destrancar portas. Ela mandou um presente pelo correio, por isso tenho sorte se o receber lá para o Natal. Ah! Ah!

SEXTA-FEIRA, 17 DE ABRIL
Sexta-Feira Santa

Pobre Jesus, deve ter sido horrível para ele. Acho que não tinha coragem para fazer aquilo.

O cão saltou para cima dos ovos da Páscoa; não tem nenhum respeito pelas tradições.

SÁBADO, 18 DE ABRIL

Recebi a encomenda da tia Susan. É um saco bordado para a escova de dentes e foi feito por uma das presas! Chama-se Grace Pool. A tia Susan diz que eu devia escrever-lhe a agradecer! Como se não fosse suficientemente mau a irmã do meu pai trabalhar na Prisão de Holloway, agora ainda querem que eu comece a escrever para os presos! A Grace Pool pode ser uma assassina ou coisa do género!

Ainda estou à espera das onze libras e oitenta *pence*. Não parece nada que a minha mãe esteja desesperada por me ver.

DOMINGO, 19 DE ABRIL
Domingo de Páscoa

Hoje é o dia em que Jesus fugiu da gruta. Acho que foi daí que o Houdini tirou a ideia.

O meu pai esqueceu-se de ir ao banco na sexta-feira, por isso estamos lisos. Tive de levar as garrafas todas ao supermercado para comprar um ovo da Páscoa. Vi um filme, depois lanchei magnificamente em casa da minha avó. Ela fez um bolo coberto de pintainhos fofinhos. Alguns dos pintainhos entraram para a boca do meu pai e tivemos de lhe dar umas palmadas fortes nas costas. Arranja sempre maneira de estragar tudo. Não sabe estar em sociedade. Depois do lanche fui a casa do Bert Baxter. Ele ficou contente por me ver e eu senti-me um bocado mal porque ultimamente o tenho negligenciado. Deu-me um monte de livros aos quadrinhos. Chamam-se *Águia* e os desenhos são impecáveis. Fiquei a ler até às três da manhã. Nós, os intelectuais, temos horários antissociais. Faz-nos bem.

SEGUNDA-FEIRA, 20 DE ABRIL
Feriado no Reino Unido (exceto Escócia)

O meu pai está furioso porque os bancos ainda estão fechados. Acabou-se-lhe o tabaco. Vai-lhe fazer bem. Não há sinais das onze libras e oitenta *pence*.

Escrevi à Grace Pool. Está na ala D. Escrevi:

Querida Sra. Pool,

Obrigado por ter feito o saco para a escova de dentes. É um encanto.

Cumprimentos, Adrian.

TERÇA-FEIRA, 21 DE ABRIL

O meu pai foi o primeiro na fila para o banco hoje de manhã. Quando entrou, o caixa disse-lhe que não podia levantar dinheiro porque já não tinha nenhum. O meu pai exigiu falar com o gerente. Eu estava muito envergonhado e por isso sentei-me atrás de uma planta de plástico e esperei até a gritaria acabar. O Sr. Niggard, o manda-chuva, veio acalmar o meu pai. Disse que ia autorizar um levantamento a descoberto. O meu pai estava terrivelmente patético, sempre a dizer: «Foi a conta do maldito veterinário.» O Sr. Niggard estava com ar de quem compreendia. Talvez também tenha um cão maluco. Não podemos ser os únicos, pois não?

As onze libras, etc., chegaram no correio da tarde, por isso vou para Sheffield amanhã de manhã. Nunca andei sozinho de comboio. Nos últimos tempos ando mesmo a abrir as asas.

QUARTA-FEIRA, 22 DE ABRIL

O meu pai deu-me boleia até à estação. Também me deu alguns conselhos sobre a viagem; disse-me para não comprar empada de porco na carruagem-restaurante.

Fiquei de pé no comboio com a cabeça de fora da janela e o meu pai ficou na plataforma. Estava sempre a olhar para o relógio. Não consegui pensar em nada para dizer e ele também não. Acabei por dizer: «Não se esqueça de dar de comer ao cão, está bem?» O meu pai deu uma gargalhada estranha e então o comboio começou a andar, por isso eu disse-lhe adeus e fui à procura de um lugar para não fumadores. Os nojentos dos fumadores estavam todos juntos a engasgar-se e a tossir. Tinham muito mau aspeto e faziam imenso barulho, por isso atravessei a carruagem deles à pressa, sem respirar. As carruagens para não fumadores tinham pessoas com um aspeto mais calmo. Arranjei um lugar à janela, em frente de uma velhinha. Eu queria ver a paisagem ou ler o meu livro, mas o raio da velha começou a falar da histerectomia da filha e a contar-me coisas que eu não queria ouvir. Ia dando comigo em maluco! Era cacaca, cacaca. Mas graças a Deus saiu em Chesterfield. Deixou a *Woman's Own* em cima do banco, e eu fartei-me de rir com a página dos problemas sentimentais, li o conto, e depois o comboio começou a abrandar porque estava a chegar a

Sheffield. A minha mãe começou a chorar quando me viu. Foi um bocado embaraçoso, mas ao mesmo tempo soube-me bem. Apanhámos um táxi na estação. Sheffield parece ser OK, como o sítio onde moramos. Não vi nenhuma fábrica de garfos e facas, a Margaret Thatcher deve tê-las fechado todas.

O Lucas estava fora a impingir seguros, por isso tive a minha mãe só para mim até às oito da noite. O apartamento é horroroso, moderno mas minúsculo. Ouvem-se os vizinhos a tossir. A minha mãe está habituada a coisas melhores. Estou terrivelmente cansado, por isso vou parar.

Espero que o meu pai esteja a tratar bem o cão. Quem me dera que a minha mãe voltasse para casa, já me tinha esquecido de como ela é querida.

QUINTA-FEIRA, 23 DE ABRIL
Dia de São Jorge

Hoje fui às compras com a minha mãe. Comprámos um abajur para o quarto dela e umas calças novas para mim. São impecáveis, mesmo apertadinhas.

Comemos um Almoço de Homem de Negócios Chinês e depois fomos ver um filme dos Monty Python sobre a vida de Jesus. Era ousado à brava, até me sentia culpado quando me ria.

O Lucas estava no apartamento quando chegámos. Tinha feito o jantar, mas eu disse que não tinha fome e fui para o meu quarto. Engasgava-me se comesse alguma coisa em que aquele sacana tivesse tocado! Mais tarde telefonei ao meu pai de uma cabina; só tive tempo de gritar: «Não se esqueça de dar de comer ao cão», antes de os pis acabarem.

Fui para a cama cedo por causa das lambuzices que o Lucas estava a fazer. Chama «Paulie» à minha mãe, quando sabe perfeitamente que o nome dela é Pauline.

SEXTA-FEIRA, 24 DE ABRIL

Ajudei a minha mãe a pintar a cozinha. Está a pô-la creme e castanha, fica horrível, parece as casas de banho da escola. O Lucas comprou-me um canivete. Está a tentar subornar--me para voltar a gostar dele. Azar, Lucas! Nós os Mole nunca esquecemos. Somos como a Máfia, quando alguém nos trai fica marcado para toda a vida. Ele roubou uma esposa e uma mãe e por isso vai ter de pagar o preço! É uma pena, porque o canivete tinha uma série de acessórios que me iam dar imenso jeito no dia a dia.

SÁBADO, 25 DE ABRIL

O Lucas não trabalha aos sábados, portanto tive de aturar as parvoíces dele o dia todo. Está sempre a tocar na mão da minha mãe ou a dar-lhe beijos ou a pôr-lhe o braço à volta dos ombros, não sei como é que ela aguenta aquilo, eu ficava maluco.

O Lucas levou-nos a passear ao campo hoje à tarde, a um sítio montanhoso e bastante alto. Apanhei uma constipação, por isso fiquei no carro a ver a minha mãe e o Lucas a fazerem figuras tristes. Graças a Deus, não havia ninguém a ver. Não é um espetáculo bonito ver dois velhos a correrem pelos montes acima e a rirem.

Voltámos para casa, tomei banho, pensei no cão e fui dormir. Amanhã, casa.

3 da manhã. Acabei de ter um sonho em que estava a apunhalar o Lucas com o palito do meu canivete. Há muito tempo que não tinha um sonho tão bom.

DOMINGO, 26 DE ABRIL

2.10 da tarde. A minha curta estada em Sheffield está a chegar ao fim. Vou apanhar o comboio das 7.10, por isso só tenho cinco horas para fazer a mala. O meu pai tinha razão. Não precisava de duas malas de roupa. Mas é melhor prevenir do que remediar, é o que eu digo sempre. Não vou ter pena de deixar este apartamento sórdido com os vizinhos barulhentos, embora naturalmente tenha pena da teimosia da minha mãe em recusar-se a voltar para casa comigo.

Disse-lhe que o cão estava a morrer de saudades dela, mas ela telefonou ao meu pai e ele, parvo como sempre, disse que o cão tinha acabado de comer uma lata inteira de *Pedigree Chum* e uma tigela de *Winalot*.

Contei-lhe do meu pai e da Doreen Slater, à espera de a pôr louca de ciúmes, mas ela só se riu e disse: «Ah, a Doreen continua ao ataque?» Fiz os possíveis para que ela regressasse, mas tenho de admitir a derrota.

11 da noite. A viagem de regresso foi um pesadelo, as carruagens para não fumadores todas cheias, fui forçado a partilhar a carruagem com cachimbos, charutos e cigarros. Estive vinte minutos na fila para tomar um café no bar. Quando cheguei à caixa, o homem pôs um letreiro a dizer: «Fechado por falta de eletricidade.» Voltei para o meu lugar e estava um soldado lá sentado. Arranjei outro lugar, mas tive de aturar um chanfrado que estava sentado à minha frente a dizer que tinha um rádio dentro da cabeça controlado pelo Fidel Castro.

O meu pai foi ter comigo à estação, o cão saltou para mim, falhou e quase que caiu em frente do Expresso de Birmingham das 9.23.

O meu pai disse que a Doreen Slater tinha ido lá tomar chá. Pelo aspeto da casa, acho que ela tomou lá o pequeno-almoço, o almoço e o chá! Nunca vi a mulher, mas pelos vestígios que deixou sei que tem cabelos ruivos, usa batom cor de laranja e dorme do lado esquerdo da cama.

Que receção!

O meu pai disse que a Doreen tinha engomado a minha roupa da escola. De que é que ele estava à espera? Agradecimentos?

SEGUNDA-FEIRA, 27 DE ABRIL

A Sra. Bull ensinou-nos a lavar a loiça na aula de Trabalhos Domésticos. É ensinar o padre-nosso ao vigário! Devo ser um dos melhores lavadores de loiça do mundo! O Barry Kent partiu um prato inquebrável, por isso a Sra. Bull mandou-o para a rua. Vi-o a fumar praticamente às claras no corredor. Tem cá uma lata! Achei que era meu dever fazer queixa dele à Sra. Bull. Fi-lo apenas com a intenção de proteger a saúde do Barry Kent. Foi levado ao Scruton dos olhos esbugalhados e confiscaram-lhe os *Benson and Hedges*. O Nigel disse que tinha visto o Sr. Scruton a fumá-los na sala dos professores à hora do almoço, mas não pode ser verdade, pois não?

A Pandora e o Craig Thomas andam a dar escândalo, exibindo a sua sexualidade no recreio. A Sra. Elf teve de bater na janela da sala dos professores e dizer-lhes para pararem de dar beijos.

TERÇA-FEIRA, 28 DE ABRIL

Hoje de manhã o Sr. Scruton fez um discurso antes das aulas. Foi sobre a falta de moral do país, mas do que ele estava mesmo a falar era da Pandora e do Craig Thomas. O discurso não serviu para nada, porque quando estávamos a cantar «There Is a Green Hill Far Away» vi distintamente que eles estavam a trocar olhares de natureza passional.

QUARTA-FEIRA, 29 DE ABRIL

O meu pai está preocupado, os caloríferos não se andam a vender bem. O meu pai diz que isso prova que os consumidores não são tão estúpidos como toda a gente pensa. Estou farto de o ouvir andar de um lado para o outro durante a noite. Aconselhei-o a entrar para um clube ou a arranjar um passatempo, mas ele está determinado a ter pena de si próprio. Só se ri quando passam na televisão anúncios de caloríferos. Nessas alturas ri-se que nem um parvo.

QUINTA-FEIRA, 30 DE ABRIL

Hoje fui seriamente ameaçado na escola. O Barry Kent atirou a minha mala de executivo com fechos de mola para o campo de râguebi. Tenho de arranjar duas libras depressa, antes que ele me comece a atirar *a mim* para o campo de râguebi. Não vale a pena pedir dinheiro ao meu pai; está desesperado por causa das contas por pagar.

SEXTA-FEIRA, 1 DE MAIO

A minha avó telefonou hoje de manhãzinha para dizer: «Maio não dá capote ao marinheiro.» Não faço a mínima ideia do que é que ela estava a falar. Só sei que tem qualquer coisa a ver com roupa.

É com muita satisfação que informo que o Barry Kent e o grupo dele foram expulsos do Clube Juvenil «Fora das Ruas». (Mas isto quer dizer que agora estão *na rua*, azar!) Encheram de água um preservativo e atiraram-no para um grupo de raparigas e fizeram-nas gritar. A Pandora rebentou a coisa com um alfinete do emblema e o Rick Lemon saiu do gabinete e escorregou na água. Ficou furioso, tinha as calças amarelas cheias de manchas. A Pandora ajudou o Rick a correr com eles. Estava com um ar bestialmente feroz. Espero que ela ganhe a medalha de «Membro mais útil do ano».

SÁBADO, 2 DE MAIO

Recebi uma carta da Grace Pool! Diz assim:

Caro Adrian,

Muito obrigado pela tua encantadora carta de agradecimento. Tornou o meu dia alegre. As outras andam todas a implicar comigo por causa do meu pretendente. Vou sair em liberdade condicional a 15 de junho. Posso ir visitar-te? A tua tia Susan é uma das melhores guardas daqui, foi por isso que me senti obrigada a fazer-lhe o saco para a escova de dentes. Então até ao dia 15.

Cumprimentos,

Grace Pool

P. S. Fui erradamente condenada por chantagem, mas agora isso já pertence ao passado.

Meu Deus! O que é que eu hei de fazer?

DOMINGO, 3 DE MAIO
Segundo depois da Páscoa

Já não há nada no frigorífico, nada na despensa e na caixa do pão só há pão de dieta. Não sei o que é que o meu pai faz ao dinheiro. Fui obrigado a ir a casa da minha avó antes que morresse de subnutrição. Às quatro horas tive um daqueles raros momentos de felicidade que hei de recordar toda a vida. Estava sentado à frente da braseira elétrica da minha avó a comer uma torrada com doce e a ler o *News of the World*. Estava a dar uma peça de teatro boa no Rádio Quatro sobre as torturas nos campos de concentração. A minha avó estava a dormir e o cão estava calado. De repente tive esta sensação maravilhosa. Se calhar, estou a tornar-me religioso.

Acho que estou destinado a ser um santo qualquer. Telefonei à tia Susan, mas ela estava de serviço em Holloway. Deixei recado à colega dela, a Gloria, para a tia Susan me telefonar urgentemente.

SEGUNDA-FEIRA, 4 DE MAIO
Feriado no Reino Unido. Lua nova

A tia Susan telefonou a dizer que a saída da Grace Pool em liberdade condicional foi anulada porque ela pegou fogo à oficina de bordados e destruiu doze dúzias de sacos para escovas de dentes.

Com o mal deles posso eu bem!

TERÇA-FEIRA, 5 DE MAIO

Encontrei o nosso carteiro no caminho para a escola. Disse-me que a minha mãe vem visitar-me no sábado. Estou a pensar fazer queixa dele ao chefe dos correios por ler a correspondência privada!

O meu pai também já tinha lido o meu postal quando cheguei a casa. Parecia bem-disposto e começou a tirar o lixo da sala, depois telefonou à Doreen Slater a dizer que «o filme de sábado tinha de ficar para outro dia». Os crescidos estão sempre a dizer aos adolescentes para falarem de forma clara e depois, entre eles, andam sempre a falar em código. A Doreen Slater começou a gritar ao telefone. O meu pai também gritou que «não queria uma relação estável», que tinha «deixado isso claro desde o princípio» e que «ninguém podia substituir a sua Pauline». A Doreen Slater continuou a gritar até o meu pai atirar com o auscultador. O telefone não parou de tocar e o meu pai acabou por desligá-lo. Parecia doido a arrumar a casa até às duas da manhã e ainda é só terça-feira! Como é que vai ser no sábado de manhã? O pobre diabo está convencido de que a minha mãe vai voltar de vez.

QUARTA-FEIRA, 6 DE MAIO

Sinto-me orgulhoso por registar que me nomearam vigilante do refeitório na escola. Tenho de ficar ao pé do caixote do lixo e certificar-me de que os meus colegas rapam os pratos devidamente.

QUINTA-FEIRA, 7 DE MAIO

O Bert Baxter telefonou para a escola a pedir para eu passar por lá urgentemente. O Sr. Scruton pregou-me um sermão, disse que o telefone da escola não era para serviço dos alunos. Vai-te lixar, Scruton, meu imbecil de olhos esbugalhados!!! O Bert estava num estado miserável. Tinha perdido a dentadura postiça. Já a tinha desde 1946, tem um grande valor sentimental para ele porque era do pai. Procurei por todo o lado, mas não consegui encontrá-la.

Fui às compras e trouxe-lhe uma sopa de lata e um pudim instantâneo. Foi o que consegui arranjar naquele momento. Prometi-lhe que volto lá amanhã para procurar outra vez. Ao menos o *Sabre* estava contente; estava a mastigar qualquer coisa na casota.

O meu pai continua a limpar a casa. Até o Nigel comentou como o chão da cozinha estava limpo. Mas gostava que o meu pai não andasse de avental, parece um maricas com aquilo.

SEXTA-FEIRA, 8 DE MAIO

Encontrei os dentes do Bert na casota do *Sabre*. O Bert passou-os por água e tornou a pô-los na boca! Foi a coisa mais nojenta que vi em toda a minha vida.

O meu pai comprou montes de flores para dar as boas-vindas à minha mãe. Há flores por todo o lado a empestar a casa.

Finalmente a casa do Sr. Lucas foi vendida. Vi o empregado da agência imobiliária a pôr o cartaz. Espero que os novos vizinhos sejam pessoas respeitáveis. Estou a ler *O Moinho à beira do Rio,* dum tipo chamado George Eliot.

SÁBADO, 9 DE MAIO

Fui acordado às 8.30 por umas pancadas fortes na porta da rua. Era um fiscal da companhia de eletricidade. Fiquei de queixo caído quando ele me disse que vinha cortar a luz! O meu pai deve noventa e cinco libras e setenta e nove *pence*. Eu disse ao fiscal que precisávamos da eletricidade para as coisas essenciais como a televisão e a aparelhagem, mas ele disse que são as pessoas como nós que andam a tirar a força ao país. Foi ao armário do contador, fez qualquer coisa com umas ferramentas e o ponteiro dos segundos do relógio da cozinha parou. Foi altamente simbólico. O meu pai tinha ido buscar o *Daily Express*. Vinha a assobiar todo contente. Até perguntou ao fiscal se ele queria uma chávena de chá! O fiscal disse: «Não, obrigado», e foi a toda a velocidade para a sua carrinha azul. O meu pai ligou a cafeteira elétrica. Fui obrigado a contar-lhe.

Como seria de esperar, fui eu que levei com as culpas! O meu pai disse que eu não o devia ter deixado entrar. Eu disse-lhe que ele devia ter posto o dinheiro da conta de lado todas as semanas como a avó faz. Mas ele passou-se. A minha mãe apareceu com o Lucas! Foi como nos velhos tempos, com toda a gente a gritar ao mesmo tempo. Levei o cão e fui comprar cinco caixas de velas. O Sr. Lucas emprestou-me dinheiro.

Quando voltei fiquei à entrada e ouvi a minha mãe dizer: «Não admira que não pagues as contas, George;

olha para estas flores, devem ter custado uma fortuna.»
Disse aquilo com uma voz muito gentil. O Sr. Lucas disse
que emprestava dinheiro ao meu pai, mas o meu pai
fez um ar muito digno e disse: «A única coisa que quero
de si, Lucas, é a minha mulher.» A minha mãe elogiou
o meu pai por estar a tratar tão bem da casa. O meu
pai estava com um ar triste e envelhecido. Tive mesmo
pena dele.

Fui lá para fora enquanto eles discutiam quem é que
ficava com a minha custódia. Estiveram a discutir montes
de tempo. Mais concretamente até ser preciso acender
as velas.

O Lucas entornou cera por cima dos sapatos de camurça
novos. Foi o único incidente feliz num dia verdadeiramente
trágico.

Quando a minha mãe e o Lucas se foram embora de táxi
fui-me deitar com o cão. Ouvi o meu pai a falar ao telefone
com a Doreen Slater, depois a porta da frente bateu e eu
espreitei pela janela e vi-o ir-se embora no carro. O banco
de trás ia cheio de flores.

DOMINGO, 10 DE MAIO
Terceiro depois da Páscoa. Dia da Mãe, EUA
e Canadá. Quarto crescente

Só me levantei às quatro e meia da tarde. Acho que estou
com uma depressão. Não aconteceu nada hoje a não ser
uma chuvada de granizo por volta das seis.

SEGUNDA-FEIRA, 11 DE MAIO

O Bert Baxter ofereceu-se para nos emprestar um fogareiro a petróleo. O nosso aquecimento central não trabalha sem eletricidade. Agradeci-lhe mas recusei a sua amável oferta. Li que esses fogareiros caem facilmente e o cão de certeza que ia transformar a nossa casa num mar de chamas.

Se alguém souber que nos cortaram a eletricidade, corto a garganta. Não conseguiria suportar tamanha vergonha.

TERÇA-FEIRA, 12 DE MAIO

Hoje tive uma grande conversa com o Sr. Vann, o professor de Orientação Vocacional. Disse-me que se quero ser veterinário tenho de fazer Física, Química e Biologia. Disse que Desenho, Trabalhos Manuais e Trabalhos Domésticos não vão servir de muito.

A minha vida está numa encruzilhada. Uma decisão errada agora pode representar uma perda trágica para o mundo veterinário. Sou um desastre em Ciências. Perguntei ao Sr. Vann que disciplinas é que tinha de fazer para escrever comédias para a televisão. O Sr. Vann disse que não era preciso fazer nenhumas disciplinas em especial, só era preciso ser-se parvo.

QUARTA-FEIRA, 13 DE MAIO

Tive uma conversa profunda com o meu pai sobre a opção que devo seguir, ele aconselhou-me a só fazer as disciplinas em que sou bom. Disse que os veterinários passam metade da vida com as mãos enfiadas nos rabos das vacas e a outra metade a dar injeções em cães gordos e mimados. Por isso, vou reconsiderar as minhas perspetivas de carreira futura.

Não me importava de ser mergulhador para apanhar esponjas, mas não me parece que haja muita procura em Inglaterra.

QUINTA-FEIRA, 14 DE MAIO

A Sra. Sproxton pregou-me um raspanete porque a minha redação de Inglês estava coberta de pingos de cera. Expliquei-lhe que tinha entornado a vela com a manga do casaco quando estava a fazer os trabalhos de casa. Ela ficou com lágrimas nos olhos e disse que eu era «um menino muito querido e corajoso», e deu-me uma nota de mérito.

Depois de jantarmos bolachas de água e sal e atum, jogámos às cartas à luz das velas. Foi o máximo. O meu pai cortou os dedos das nossas luvas, parecíamos dois criminosos em fuga.

Estou a ler *Tempos Difíceis*, de Charles Dickens.

SEXTA-FEIRA, 15 DE MAIO

A minha avó acabou de fazer uma visita-surpresa. Apanhou-nos muito juntinhos ao pé do fogão de campismo novo a comer feijões frios diretamente da lata. O meu pai estava a ler a *Playboy* à luz da vela e eu estava a ler os *Tempos*

Difíceis à luz da lanterna do porta-chaves. Estávamos os dois bastante satisfeitos. O meu pai tinha acabado de dizer que era um «bom treino para quando a civilização desaparecer» quando a minha avó entrou de repente e desatou a berrar, completamente histérica. Obrigou-nos a ir para casa dela, por isso agora estou aqui a dormir na cama do meu avô que já morreu. O meu pai está a dormir lá em baixo em dois sofás encostados. A minha avó passou um cheque para a conta da eletricidade, está furiosa porque queria o dinheiro para reabastecer a arca congeladora. Compra sempre duas vacas mortas por ano.

SÁBADO, 16 DE MAIO

Ajudei a minha avó a fazer as compras de fim de semana. Estava furiosa no merceeiro; olhava para a balança como um falcão a olhar para um rato-do-campo. Depois atacou, acusando o rapaz da mercearia de a estar a roubar no peso do *bacon*. O rapaz ficou cheio de medo dela e pôs mais uma fatia.

Já não podíamos dos braços quando chegámos ao cimo da rua com os sacos das compras. Não sei como é que a minha avó faz quando está sozinha. Acho que a Câmara devia pôr escadas rolantes nas ruas; acabariam por poupar dinheiro, não haveria velhinhos a cair por todo o lado. O meu pai pagou hoje nos correios a conta da eletricidade, mas ainda vai demorar pelo menos mais uma semana até o computador dar autorização para voltarem a fazer a ligação.

DOMINGO, 17 DE MAIO

A minha avó obrigou-nos a levantar cedo para irmos à missa com ela. O meu pai teve de se pentear e de levar uma das gravatas do meu avô. A minha avó deu o braço aos dois e parecia muito orgulhosa por estar connosco. A missa foi terrivelmente chata. O padre parecia ser a pessoa mais velha ainda viva e falava com uma voz muito fraquinha. O meu pai estava sempre a pôr-se em pé quando era para estarmos sentados e vice-versa. Eu copiei o que a minha avó fazia, ela faz sempre tudo bem. O meu pai cantou muito alto, toda a gente olhou para ele. Apertei a mão ao padre quando nos deixaram sair. Foi como tocar numa folha morta.

Depois do almoço ouvimos os discos do Al Jolson da minha avó, e depois ela foi lá para cima dormir a sesta e eu e o meu pai lavámos a loiça. O meu pai partiu um jarro de leite que tinha quarenta e um anos! Teve de ir à rua beber um copo para recuperar do choque. Fui ver o Bert Baxter, mas ele não estava em casa, por isso acabei por ir ver o *Blossom*. Ficou muito contente por me ver. Deve ser mesmo chato ficar num prado o dia inteiro. Não admira que ele receba tão bem os visitantes.

SEGUNDA-FEIRA, 18 DE MAIO

A minha avó não fala ao meu pai por causa do jarro de leite. Estou desejoso de voltar para casa, onde coisas como jarros de leite não têm importância.

TERÇA-FEIRA, 19 DE MAIO
Lua cheia

O meu pai está metido em problemas por ter chegado tarde a casa ontem à noite. Sinceramente! Tem a mesma idade que o jarro de leite, por isso acho que tem o direito de chegar a casa à hora que quiser!

Hoje contei ao meu pai que andava a ser ameaçado. Fui obrigado a isso porque o Barry Kent danificou seriamente o meu *blazer* da escola e arrancou o distintivo. O meu pai vai falar com o Barry Kent amanhã e vai tirar-lhe todo o dinheiro das chantagens, por isso talvez venha a ficar rico!

QUARTA-FEIRA, 20 DE MAIO

O Barry Kent negou qualquer envolvimento nas chantagens e riu-se quando o meu pai exigiu que ele lhe devolvesse o dinheiro. O meu pai foi falar com o pai dele e discutiram a sério e ele ameaçou chamar a polícia. Acho que o meu pai é altamente corajoso. O pai do Barry Kent parece um gorila e tem mais pelos nas costas das mãos do que o meu pai na cabeça toda.

Os polícias disseram que não podem fazer nada sem provas, por isso vou pedir ao Nigel para escrever um depoimento sob juramento a dizer que me viu a entregar dinheiro e a receber ameaças.

QUINTA-FEIRA, 21 DE MAIO

O Barry Kent deu-me uns abanões no vestiário esta manhã. Pendurou-me num dos cabides. Chamou-me «bufo dos chuis» e outras coisas que são más de mais para serem escritas. A minha avó soube das ameaças (o meu pai não queria que ela soubesse por causa da diabetes). Ela ouviu tudo até ao fim, depois pôs o chapéu, cerrou os lábios e saiu pela porta fora. Esteve fora uma hora e sete minutos, voltou, tirou o casaco, ajeitou o cabelo, tirou vinte e sete libras e dezoito *pence* do cinto à prova de ladrões. Disse: «Ele não vai voltar a importunar-te, Adrian, mas se voltar diz-me.» Depois foi fazer o lanche, sardinhas enlatadas, tomate e bolo de gengibre. Comprei-lhe uma caixa de chocolates para diabéticos na farmácia como prova da minha gratidão.

SEXTA-FEIRA, 22 DE MAIO

Já toda a escola sabe que uma velhota de sessenta e seis anos pregou tamanho susto ao Barry Kent e ao pai dele que me devolveram o dinheiro das ameaças. O Barry Kent não se atreve a dar a cara. O gangue dele vai eleger outro chefe.

SÁBADO, 23 DE MAIO

Regressámos a casa, já há luz. As plantas estão todas mortas. Mais contas no tapete da entrada.

DOMINGO, 24 DE MAIO
Domingo das Rogações

Decidi pintar o meu quarto de preto; gosto dessa cor. Não aguento viver nem mais um minuto com o papel de parede do Noddy. Na minha idade é completamente indecente acordar e ver o Orelhas e o resto dos idiotas do País dos Brinquedos a correrem de um lado para o outro nas paredes. O meu pai diz que eu posso pintar da cor que quiser, desde que seja eu a ir comprar a tinta e a pintar o quarto.

SEGUNDA-FEIRA, 25 DE MAIO

Decidi que vou ser poeta. O meu pai diz que não há uma carreira organizada para poetas nem reformas nem uma data de coisas chatas, mas estou firmemente decidido. Ele tentou interessar-me por ser operador de computadores, mas eu disse: «Tenho de pôr a minha alma naquilo que faço e toda a gente sabe que os computadores não têm alma.» O meu pai disse: «Os americanos andam a tratar disso.» Mas não posso esperar tanto tempo.

Comprei duas latas de tinta acrílica preta acetinada e um pincel de meia polegada. Comecei a pintar mal cheguei a casa da loja de *bricolage*. O Noddy continua a ver-se por baixo da tinta preta. Parece que vai precisar de duas demãos. Sorte malvada!

TERÇA-FEIRA, 26 DE MAIO
Quarto minguante

Agora já pus duas demãos de tinta preta! Ainda se vê o Noddy! Pegadas pretas no patamar e nas escadas. Não consigo tirar a tinta das mãos. Os pelos do pincel estão a cair. Estou farto desta porcaria toda. O quarto está escuro e assustador. O meu pai não levantou um dedo para me ajudar. Há tinta preta por todo o lado.

QUARTA-FEIRA, 27 DE MAIO

Terceira demão. Ligeiramente melhor, já só se vê o chapéu do Noddy.

QUINTA-FEIRA, 28 DE MAIO
Dia da Ascensão

Passei por cima do chapéu do Noddy com um pincel pequenino e com o resto da tinta preta, mas o raio dos sinos do chapéu ainda se veem!

SEXTA-FEIRA, 29 DE MAIO

Passei por cima dos sinos do chapéu com caneta de feltro preta, hoje fiz sessenta e nove, só faltam cento e vinte e quatro.

SÁBADO, 30 DE MAIO

Acabei o último sino às 11.25 da noite. Sei exatamente como é que o Rembrandt se deve ter sentido depois de pintar a Capela Sistina em Veneza.

2 da manhã. A tinta já secou, mas devia estar estragada porque está tudo cheio de riscos e há sítios onde se veem as calças às riscas do Orelhas e o nariz do Sr. Lei. Graças a Deus que o raio dos sinos já não se veem! O meu pai esteve aqui agora mesmo para me dizer que tenho de ir para a cama e disse que o meu quarto lhe faz lembrar uma pintura do Salvador Dalí. Disse que era um pesadelo surrealista, mas está é com inveja porque tem o quarto cheio de rosas pirosas nas paredes.

DOMINGO, 31 DE MAIO
Domingo depois da Ascensão

Comprei um pauzinho de incenso na loja do Sr. Singh. Acendi-o no meu quarto para ver se tiro o cheiro da tinta. O meu pai entrou no quarto e atirou o pauzinho pela janela, disse que «não queria ver-me metido em drogas»! Tentei explicar, mas o meu pai estava demasiado furioso para me ouvir. Deixei-me ficar no meu quarto algumas horas, mas as paredes pretas pareciam fechar-se sobre mim, por isso fui visitar o Bert Baxter. Ele não ouviu a porta, por isso voltei para casa e estive a ver programas de religião na televisão. Lanchei, fiz os trabalhos de casa de Geografia, fui para a cama. O cão não volta a ficar no quarto; não para de ganir para eu o deixar sair.

SEGUNDA-FEIRA, 1 DE JUNHO
Feriado na República da Irlanda

O meu pai recebeu uma carta que o deixou sem cor na cara: foi posto nos excedentários no emprego dele! Vai ter de viver de subsídio de desemprego! Como é que vamos viver com a miséria que o governo nos vai dar? O cão vai ter de se ir embora! São trinta e cinco *pence* por dia em comida, sem contar com o *Winalot*. Agora sou filho de uma família monoparental, em que o pai vive do subsídio de desemprego! Vai ser a Segurança Social a comprar-me os sapatos!

Hoje não fui à escola, telefonei para a secretária da escola e disse que o meu pai está com uma doença mental e precisa de alguém que trate dele. Ela pareceu muito preocupada e perguntou se ele estava violento. Disse-lhe que não tinha dado sinais de violência, mas se isso acontecesse eu telefonava logo para o médico. Obriguei o meu pai a beber montes de bebidas quentes e doces por causa do choque, ele não parava de falar de caloríferos e dizia que ia contar tudo à comunicação social.

Telefonou para a Doreen Slater e ela apareceu logo, com um miúdo horroroso chamado Maxwell. Foi um grande choque ver a Doreen Slater pela primeira vez. Não consigo imaginar porque é que o meu pai quis conhecê-la do ponto de vista carnal. É magra que nem um gafanhoto. Não tem mamas nem rabo.

É uma tábua de engomar de cima a baixo, incluindo o nariz, a boca e o cabelo. Mal entrou em casa pôs os braços à volta do meu pai. O Maxwell começou a chorar, o cão começou a ladrar, por isso voltei para o meu quarto preto e contei quantas coisas é que ainda se viam por baixo da tinta preta: cento e dezassete!

A Doreen foi-se embora à uma e meia para ir levar o Maxwell ao jardim-infantil. Comprou umas coisas para nós e fez um almoço deslavado de esparguete e queijo. Ela vive sozinha com o filho; o Maxwell é filho de um homem que não é o marido dela. Falou-me da vida dela quando estávamos a lavar a loiça. Até podia ser simpática se fosse um bocadinho mais gorda.

TERÇA-FEIRA, 2 DE JUNHO
Lua nova

A Doreen e o Maxwell passaram cá a noite. O Maxwell estava para dormir no sofá, mas chorou tanto que acabou por dormir na cama de casal entre o meu pai e a Doreen, portanto o meu pai não conseguiu aumentar os seus conhecimentos carnais da Doreen. Passou-se por completo, mas não tanto como o Maxwell. Ah! Ah! Ah!

QUARTA-FEIRA, 3 DE JUNHO

Hoje fui à escola, não consegui concentrar-me, estava sempre a pensar no gafanhoto. Tem uns dentes brancos lindos (direitinhos, claro). Fez umas tartes com geleia para quando eu chegasse a casa. Não é forreta com a geleia como algumas mulheres são.

O meu pai anda a fumar e a beber imenso, mas, segundo a Doreen, ficou temporariamente impotente. Aí está uma coisa que eu prefiro não saber! A Doreen fala comigo como se eu fosse um adulto e não o filho do amante dela, com catorze anos, dois meses e um dia!

QUINTA-FEIRA, 4 DE JUNHO

Hoje, logo de manhãzinha, a Doreen atendeu o telefone e era a minha mãe. Pediu para falar comigo. Exigiu saber o que é que a Doreen estava a fazer lá em casa. Disse-lhe que o meu pai estava com uma depressão e que a Doreen Slater estava a cuidar dele. Contei-lhe que o tinham posto nos excedentários. Disse-lhe que ele andava a beber de mais, a fumar de mais e em geral a desleixar-se em tudo. Depois fui para a escola. Sentia-me rebelde, por isso levei umas meias vermelhas. É expressamente proibido, mas não quero saber.

SEXTA-FEIRA, 5 DE JUNHO

A Sra. Sproxton reparou nas minhas meias à entrada para a aula. A bruxa foi fazer queixa de mim ao Scruton dos olhos esbugalhados. Ele chamou-me ao gabinete e pregou-me um sermão sobre os perigos de ser inconformado. Depois mandou-me ir a casa calçar as meias pretas da farda. O meu pai estava deitado quando cheguei a casa; estava a curar a impotência. Fiquei a ver o *Play School* com o Maxwell até ele vir para baixo. Contei-lhe a saga das meias.

Ficou imediatamente fora de si! Telefonou para a escola e obrigou o Scruton a sair de uma reunião com as contínuas por causa da greve. Não parava de gritar ao telefone. Dizia: «A minha mulher deixou-me, puseram-me nos excedentários no emprego, sou responsável por um rapaz idiota» — o Maxwell, acho eu — «e o senhor persegue o meu filho por causa da cor das meias!» O Scruton disse que se eu fosse para a escola de meias pretas ficava tudo esquecido, mas o meu pai disse que eu usava meias da cor que quisesse. O Scruton disse que tinha de manter os padrões. O meu pai disse que a equipa inglesa que ganhou o Campeonato do Mundo em 1966 não usava meias pretas, nem Sir Edmund Hillary em 1953. Nessa altura, parece que o Scruton se calou. O meu pai desligou. Disse: «Um a zero para mim!»

Isto podia muito bem ir para os jornais: «Caso das meias pretas numa escola.» Talvez a minha mãe lesse a notícia e voltasse para casa.

SÁBADO, 6 DE JUNHO

Oh, alegria! Oh, êxtase! A Pandora está a organizar uma manifestação de meias! Veio cá a casa hoje! É verdade! Esteve mesmo à entrada e disse-me que admirava a posição que eu estava a tomar! Gostava de a ter convidado a entrar, mas a casa está num estado tão lastimoso que desisti. Na segunda-feira de manhã vai recolher assinaturas na escola para uma petição. Disse que eu era um combatente pela liberdade e pelos direitos de cada um. Quer que eu vá a casa dela amanhã. Vão formar uma comissão e eu sou o principal orador! Queria ver as meias vermelhas, mas eu disse-lhe que tinham ido para lavar.

A Doreen Slater e o Maxwell foram hoje para casa. A minha avó vem cá logo à noite e por isso todos os vestígios deles têm de ser apagados.

DOMINGO, 7 DE JUNHO
Domingo de Pentecostes

A minha avó encontrou a chucha do Maxwell na cama do meu pai. Menti e disse que devia ter sido o cão que a tinha trazido da rua. Foi um momento desagradável. Não tenho jeito para mentir, fico com a cara toda vermelha, e a minha avó tem uns olhos como os do Super-Homem, parece que nos atravessam o corpo. Para lhe desviar a atenção contei-lhe da discussão das meias vermelhas, mas ela disse que as regras eram para ser cumpridas.

A Pandora e a comissão estavam à minha espera na sala grande da casa dela. A Pandora é a presidente, o Nigel é o secretário e a amiga da Pandora, a Claire Neilson, é a tesoureira. O Craig Thomas e o irmão dele, o Brett, são simples apoiantes. Não posso ter nenhum cargo importante porque sou a vítima.

Os pais da Pandora estavam na cozinha a fazer as palavras cruzadas do *Sunday Times*. Parecem dar-se bastante bem.

Trouxeram-nos um tabuleiro com café e biscoitos de dieta. A Pandora apresentou-me aos pais. Eles disseram que admiravam a posição que eu estava a tomar. Os dois são membros do Partido Trabalhista e começaram a falar dos mártires de Tolpuddle. Perguntaram-me se, ao escolher as meias *vermelhas* para protestar, eu tinha querido transmitir alguma mensagem. Menti e disse que tinha escolhido o vermelho porque era um símbolo de revolução e a minha cara ficou do vermelho revolucionário das meias. Nos últimos tempos estou a ficar com mais jeito para mentir.

A mãe da Pandora disse que eu podia tratá-la por Tania. Não é um nome russo? O pai dela disse que podia tratá-lo por Ivan. É muito simpático, deu-me um livro para ler; chama-se *Os Filantropos de Calças Esfarrapadas*. Ainda não lhe dei uma vista de olhos, mas estou bastante interessado em coleções de selos, por isso vou lê-lo hoje à noite.

Lavei as meias vermelhas, pu-las por cima do aquecimento para estarem secas amanhã de manhã.

SEGUNDA-FEIRA, 8 DE JUNHO

Acordei, vesti-me, calcei as meias vermelhas antes das cuecas e da camisola interior. O meu pai ficou à porta e desejou-me boa sorte. Senti-me um herói. Encontrei-me com a Pandora e os restantes membros da comissão à esquina da minha rua; estávamos todos de meias vermelhas. As da Pandora eram de licra. Ela é mesmo corajosa! Fomos o caminho todo até à escola a cantar «Nada nos vencerá». Fiquei com um bocado de medo quando atravessámos os portões, mas a Pandora animou-nos com gritos de encorajamento.

O Scruton de olhos esbugalhados já devia ter sido informado, porque estava à espera no átrio do quarto ano. Estava de pé, imóvel, de braços cruzados, a olhar para nós com olhos de ovo cozido. Não disse nada, só apontou com a cabeça lá para cima. Todos os que tinham meias vermelhas foram todos para o andar de cima. Tinha o coração quase a saltar-me pela boca. Ele entrou silenciosamente no gabinete e começou a bater nos dentes com uma caneta da escola. Nós ficámos ali de pé.

Fez um sorriso horrível e depois tocou a campainha que estava em cima da mesa dele. A secretária apareceu e ele disse: «Sente-se e escreva uma carta, Sra. Claricoates.» A carta era para os nossos pais, dizia:

Caros Sr. e Sra..........,

Lamento informar-vos de que o(a) vosso(a) filho(a) infringiu deliberadamente uma das regras desta escola. Considero esta contravenção extremamente grave. Por isso, vou suspender o(a) vosso(a) filho(a) por um período de uma semana. Por vezes, os jovens de hoje não têm suficiente orientação moral em casa, pelo que considero meu dever tomar uma posição firme na minha escola. Caso pretendam discutir o assunto comigo, não hesitem em telefonar à minha secretária para marcar uma entrevista.

Com os melhores cumprimentos,

R. G. Scruton

Reitor

A Pandora começou a dizer qualquer coisa sobre as implicações que isso ia ter nos exames dela, mas o Scruton berrou-lhe que se calasse! Até a Sra. Claricoates deu um salto. O Scruton disse que podíamos esperar até as cartas serem datilografadas, copiadas e assinadas e que depois fazíamos melhor em pôr-nos rapidamente a mexer da escola. Ficámos à espera à porta do escritório do Scruton. A Pandora estava a chorar (porque estava zangada e frustrada, disse ela). Pus-lhe o braço por cima dos ombros só um bocadinho. A Sra. Claricoates deu-nos as nossas cartas. Fez um sorriso muito amável, não deve ser nada fácil trabalhar para um déspota.

Fomos para casa da Pandora, mas a porta estava fechada à chave, por isso eu disse que podíamos ir todos para minha casa. Ao menos naquele dia estava bastante limpa, tirando os pelos do cão. O meu pai ficou furioso com a carta. Diz que é conservador, mas neste momento não está a ser nada conservador.

Não consigo deixar de pensar que era melhor ter levado meias pretas na sexta-feira.

TERÇA-FEIRA, 9 DE JUNHO
Quarto crescente

O meu pai foi falar com o Scruton hoje à tarde e disse que se ele não me deixasse ir para a escola com as meias que eu quisesse ia fazer queixa ao deputado do nosso círculo eleitoral. O Sr. Scruton perguntou ao meu pai quem era esse deputado. O meu pai não sabia.

QUARTA-FEIRA, 10 DE JUNHO

A Pandora e eu estamos apaixonados! É oficial! Ela contou à Claire Neilson, que contou ao Nigel, que me contou a mim.

Disse ao Nigel para dizer à Claire para dizer à Pandora que também a amo. Estou fora de mim de tão alegre e extasiado. Consigo perfeitamente ignorar o facto de a Pandora fumar cinco *Benson and Hedges* por dia e ter um isqueiro dela. Quando estamos apaixonados essas coisas deixam de ter importância.

QUINTA-FEIRA, 11 DE JUNHO

Passei todo o dia com o meu amor. Não posso escrever muito, ainda tenho as mãos a tremer.

SEXTA-FEIRA, 12 DE JUNHO

Recebi um recado da escola a dizer que o Bert Baxter queria falar urgentemente comigo. Fui lá com a Pandora (somos inseparáveis). O Bert está doente. Estava com um aspeto terrível, a Pandora fez-lhe a cama de lavado (não pareceu incomodada com o cheiro) e eu telefonei ao médico. Descrevi-lhe os sintomas do Bert. Respiração estranha, cara muito branca, suor.

Tentámos fazer uma pequena limpeza ao quarto, o Bert só dizia disparates sem sentido. A Pandora disse que ele estava a delirar. Segurou-lhe a mão até chegar o médico. O Dr. Patel foi muito simpático, disse que o Bert precisava de oxigénio. Deu-me um número de telefone para chamar uma ambulância, que demorou séculos a chegar. Comecei a pensar que nos últimos tempos não tinha ligado nenhuma ao Bert e senti-me um verdadeiro sacana. Os homens da ambulância levaram o Bert para baixo numa maca. Ficaram encravados no canto das escadas e deitaram uma data de frascos de beterraba ao chão. Eu e a Pandora abrimos um caminho por entre o lixo que estava ao fundo da escada e eles levaram-no por ali. Embrulharam-no num cobertor encarnado, felpudo, antes de saírem do prédio. Depois meteram-no na ambulância e foram-se embora com a sirene a tocar. Eu estava com um grande nó na garganta e os olhos cheios de lágrimas. Devia ser por causa do pó.

A casa do Bert tem montes de pó.

SÁBADO, 13 DE JUNHO

O Bert está nos Cuidados Intensivos, não pode receber visitas. Ligo para lá de quatro em quatro horas a saber como é que ele está. Finjo que sou um familiar. A enfermeira diz coisas do género: «Está estável.»

O *Sabre* está em nossa casa. O nosso cão está em casa da minha avó porque tem medo de lobos-d'alsácia.

Espero que o Bert não morra. Para além de gostar dele, não tenho roupa nenhuma para ir a um funeral.

Continuo loucamente apaixonado pela P.

DOMINGO, 14 DE JUNHO
Domingo da Trindade

Fui ver o Bert, tem tubos por todo o lado. Levei-lhe um frasco de beterraba para quando estiver melhor. A enfermeira pô-lo no armário dele. Levei alguns cartões de «Votos de Melhoras», um meu e da Pandora, um da minha avó, um do meu pai e um do *Sabre*.

O Bert estava a dormir, por isso não fiquei lá muito tempo.

SEGUNDA-FEIRA, 15 DE JUNHO

A Comissão das Meias Vermelhas deliberou por votação que por uns tempos devíamos ceder ao Scruton. Usamos meias vermelhas por baixo das pretas. Os sapatos ficam-nos apertados, mas não nos importamos porque é por uma questão de princípio.

O Bert melhorou ligeiramente. Passa mais tempo acordado. Amanhã vou visitá-lo.

TERÇA-FEIRA, 16 DE JUNHO

O Bert agora já só tem alguns tubos. Estava acordado quando entrei no quarto. A princípio não me reconheceu porque eu levava uma máscara e uma bata. Pensou que eu era um médico. Disse: «Tirem-me a merda destes tubos das partes, não sou nenhuma rede de metropolitano.» Depois viu que era eu e perguntou como estava o *Sabre*. Tivemos uma longa conversa sobre os problemas comportamentais do *Sabre*, depois a enfermeira disse que eu tinha de me ir embora. O Bert pediu-me para dizer às filhas dele que está a morrer; deu-me meia coroa para os telefonemas! Duas delas vivem na Austrália! Disse que os números estão escritos nas costas do livro do pré de quando andou na tropa.

O meu pai diz que meia coroa não chega e que vale mais ou menos doze *pence* e meio. Vou guardar a meia coroa. É pesada, sabe bem tê-la na mão e tenho a certeza de que ainda há de vir a ser uma peça de coleção.

QUARTA-FEIRA, 17 DE JUNHO
Lua cheia

A Pandora e eu revistámos a casa do Bert à procura do livro do pré do tempo da tropa. A Pandora encontrou um maço de postais castanhos e cremes que eram muito indecentes. Estavam assinados «*avec tout mon amour chéri, Lola*». Senti-me um bocado esquisito depois de os ver todos, e a Pandora também... Demos o nosso primeiro beijo realmente apaixonado. Apetecia-me dar um beijo à francesa, a sério, mas não sei como se faz, por isso ficámo-nos por um beijo normal à inglesa.

Não há sinais do livro do pré.

QUINTA-FEIRA, 18 DE JUNHO

O Bert já está sem tubos. Amanhã vão mudá-lo para uma enfermaria normal. Contei-lhe que não tinha encontrado o livro do pré e ele disse que agora já não interessa porque sabe que não vai morrer.

A Pandora veio comigo esta noite. Deu-se bem com o Bert; falaram do *Blossom*. O Bert deu-lhe algumas dicas sobre os cuidados a ter com os póneis. Depois a Pandora saiu para ir arranjar as flores que tinha trazido e o Bert perguntou-me se já tinha dado «uma cambalhota» com ela. Às vezes é mesmo um velho porco que não merece que alguém o visite.

SEXTA-FEIRA, 19 DE JUNHO

O Bert está numa enfermaria enorme cheia de homens com pernas partidas e o peito coberto de ligaduras. Está com muito melhor aspeto agora que já tem os dentes. Alguns dos homens assobiaram à Pandora quando ela atravessou a enfermaria. Quem me dera que ela não fosse mais alta que eu. O Bert está metido em problemas com a freira da enfermaria por ter entornado sumo de beterraba nos lençóis do hospital. Devia estar a fazer uma dieta de líquidos.

SÁBADO, 20 DE JUNHO

Espero que o Bert possa vir para casa depressa. O meu pai está farto do *Sabre* e a minha avó já deita o nosso cão pelos olhos. O médico do Bert disse-lhe para deixar de fumar, mas o Bert diz que aos oitenta e nove anos já não vale a pena. Pediu-me para lhe comprar um maço de *Woodbines* e uma caixa de fósforos. O que é que eu hei de fazer?

DOMINGO, 21 DE JUNHO
Primeiro depois da Trindade. Dia do Pai

Ontem à noite não consegui dormir a pensar nos *Woodbines*. Depois de refletir muito, decidi não aceder ao desejo do Bert. Depois fui ao hospital e descobri que o Bert tinha comprado a porcaria dos cigarros numa máquina automática no hospital!

Acabei agora mesmo de medir a minha coisa. Cresceu um centímetro. Posso vir a precisar dela em breve.

SEGUNDA-FEIRA, 22 DE JUNHO

Acordei com dores na garganta, não conseguia engolir, tentei gritar lá para baixo, mas só saiu um grunhido. Tentei chamar a atenção do meu pai batendo no chão do quarto com o sapato da escola, mas o meu pai gritou: «Para com esse maldito barulho.» Acabei por mandar o cão lá abaixo com uma mensagem metida na coleira. Esperei montes de tempo e depois ouvi o cão a ladrar na rua. Não tinha entregado a mensagem! Estava à beira do desespero. Tive de me levantar para ir à casa de banho, mas ainda estou para saber como é que vou lá chegar; vejo tudo enevoado. Fui ao cimo das escadas e ronquei o mais alto que podia, mas o meu pai estava a ouvir os discos da Alma Cogan e por isso fui obrigado a ir lá abaixo dizer-lhe que estava doente. O meu pai espreitou-me para dentro da boca e disse: «Valha-me Deus, Adrian, as tuas amígdalas parecem mísseis *Polaris*! O que é que estás a fazer cá em baixo? Vai já para a cama, meu maluco.» Tirou-me a febre. Tinha quarenta e quatro graus. Podia muito bem estar morto.

Faltam agora cinco minutos para a meia-noite, o médico vem cá amanhã. Só rezo para me aguentar até lá. Caso o pior venha a acontecer, declaro por este meio que lego aqui todos os meus bens terrenos a Pandora Braithwaite, residente no número 69 da Elm Tree Avenue. Acho que estou de plena posse das minhas faculdades mentais. É muito difícil saber isso ao certo quando se está com quarenta e quatro graus de febre.

TERÇA-FEIRA, 23 DE JUNHO

Tenho uma amigdalite. É oficial. Estou a tomar antibiótico. A Pandora está sentada ao pé da minha cama a ler para mim. Quem me dera que não estivesse, parece que cada palavra é uma pedra a cair na minha cabeça.

QUARTA-FEIRA, 24 DE JUNHO

Recebi um cartão da minha mãe a desejar-me as melhoras. Lá dentro vinha uma nota de cinco libras. Pedi ao meu pai para comprar cinco garrafas de *Lucozade*.

QUINTA-FEIRA, 25 DE JUNHO
Quarto minguante

Tenho sonhos delirantes com Lady Diana Spencer. Espero estar melhor quando for o casamento. A febre não baixa dos quarenta e quatro.

O meu pai não aguenta o *Sabre*, por isso a Pandora levou-o para casa (o *Sabre*, não o meu pai).

SEXTA-FEIRA, 26 DE JUNHO

O médico disse que o nosso termómetro está estragado. Sinto-me ligeiramente melhor.

Hoje estive levantado durante vinte minutos. Vi o *Play School*; era a vez da Carol Leader, a minha apresentadora preferida.

A Pandora trouxe-me um cartão a desejar as melhoras. Foi ela que o fez com canetas de feltro. Assinou: «Para sempre tua, Pan.»

Apeteceu-me beijá-la, mas ainda tenho os lábios gretados.

SÁBADO, 27 DE JUNHO

Porque é que a minha mãe não me veio ver?

DOMINGO, 28 DE JUNHO
Segundo depois da Trindade

A minha mãe saiu agora mesmo para apanhar o comboio para Sheffield. Fiquei esgotado com tanta emoção. Vou ter uma recaída.

SEGUNDA-FEIRA, 29 DE JUNHO

A Pandora foi visitar o Bert Baxter. Disse que as enfermeiras estão a ficar fartas dele porque não fica na cama nem faz nada do que lhe mandam. Vai ter alta na quinta-feira.

Anseio pela calma e sossego de uma enfermaria de hospital. Seria o doente ideal.

O pai da Pandora pôs o *Sabre* no canil, são três libras por dia, mas o pai da Pandora diz que não há dinheiro mais bem gasto!

TERÇA-FEIRA, 30 DE JUNHO

Estou a entrar num período de convalescença. Tenho de levar as coisas com muita calma se quero recuperar o meu antigo vigor.

VERÃO

QUARTA-FEIRA, 1 DE JULHO
Dia do Canadá. Lua nova

Esta tarde veio cá a casa o funcionário da escola que controla as faltas; apanhou-me sentado numa espreguiçadeira no quintal. Não acreditou que eu estava doente! Vai fazer queixa de mim na escola! Parece que não reparou que eu estava a beber *Lucozade* aos golinhos, de pijama, roupão e chinelos. Dispus-me a mostrar-lhe as minhas amígdalas nojentas, mas ele recuou e pisou a pata do cão. O cão tem um limiar de dor muito baixo e então passou-se. O meu pai veio cá fora e separou-os, mas as coisas podem vir a ficar más cá para o nosso lado.

QUINTA-FEIRA, 2 DE JULHO

O médico disse que eu posso voltar para a escola amanhã, dependendo de como me sentir. Podem ter a certeza de que não vou sentir-me capaz disso.

SEXTA-FEIRA, 3 DE JULHO

Está uma família de cor escura a mudar-se para a casa do Sr. Lucas! Fiquei sentado na minha espreguiçadeira e vi bem a mobília deles a ser tirada da carrinha das mudanças para casa. As senhoras de pele escura não paravam de levar panelas enormes para dentro de casa, por isso parece que deve ser uma família grande. O meu pai disse que era o «princípio do fim da nossa rua». A Pandora é da Liga Antinazi. Disse que o meu pai é um racista em potência.

Estou a ler *A Cabana do Pai Tomás*.

SÁBADO, 4 DE JULHO
Dia da Independência, EUA

A rua está cheia de pessoas de cor escura a chegar ou a partir em carros, carrinhas e monovolumes. Estão sempre a entrar e a sair da antiga casa do Sr. Lucas. O meu pai diz que provavelmente há três famílias em cada quarto.

Eu e a Pandora vamos dar as boas-vindas aos novos vizinhos. Estamos determinados a mostrar que nem todos os brancos são fanáticos racistas.

O Bert Baxter ainda está no hospital.

DOMINGO, 5 DE JULHO
Terceiro depois da Trindade

Fiquei na cama até às seis da tarde. Não valia a pena levantar-me. A Pandora foi a uma gincana.

SEGUNDA-FEIRA, 6 DE JULHO

A Sra. O'Leary está a tentar organizar uma festa na nossa rua para o casamento real. Até agora só se inscreveu a família Singh.

TERÇA-FEIRA, 7 DE JULHO

O Bert Baxter fugiu do hospital. Telefonou para a Liga Nacional dos Direitos Civis e eles disseram-lhe que tinha o direito de se vir embora e foi isso que ele fez. Está no nosso quarto de hóspedes. O meu pai anda quase a trepar pelas paredes.

A Pandora, o Bert e eu inscrevemo-nos na lista para a festa. O Bert está com muito melhor aspeto, agora que pode fumar todos os *Woodbines* que quiser.

O pai da Pandora veio cá a casa para falar com o meu pai sobre o que se há de fazer com o Bert e o *Sabre*. Embebedaram-se os dois e começaram a discutir política. O Bert começou a bater no chão do quarto e mandou-os falar mais baixo.

QUARTA-FEIRA, 8 DE JULHO

O meu pai está à beira do desespero com o Bert a ressonar. A mim não me incomoda, pus plasticina nos ouvidos.

Hoje fui à escola. Decidi fazer exame a Trabalhos Domésticos, Desenho, Trabalhos Manuais e Inglês e ficar só com o certificado a Geografia, Matemática e História.

A Pandora vai fazer exame a nove disciplinas. Mas ela tem mais vantagens do que eu. É sócia da biblioteca desde os três anos.

QUINTA-FEIRA, 9 DE JULHO

Amanhã a escola fecha durante oito semanas. Dentro de pouco tempo, a Pandora vai à Tunísia. Como é que eu vou sobreviver sem o meu amor é que eu não sei. Tentámos o beijo francês, mas nenhum de nós gostou, por isso voltámos ao inglês.

A minha pele está impecável. Deve ser uma mistura de paixão e *Lucozade*.

SEXTA-FEIRA, 10 DE JULHO

Hoje foi um dia mágico na escola. Todos os professores estavam bem-dispostos. Até correu o boato de que o Scruton dos olhos esbugalhados foi visto a rir, mas eu não acreditei.

O Barry Kent trepou ao mastro da bandeira e pôs umas cuecas da mãe a esvoaçar ao vento. A Pandora disse que devia ser a primeira vez que eram postas ao ar nos últimos anos.

Hoje o Sean O'Leary faz dezanove anos. Convidou-me para a festa. É do outro lado da rua, por isso não tenho de ir muito longe.

Estou a escrever o meu diário agora para o caso de beber de mais. Parece que as pessoas se embebedam só de passar a porta dos O'Leary.

SÁBADO, 11 DE JULHO

Primeira ressaca como deve ser. Com catorze anos, cinco meses e nove dias de idade. A Pandora foi-me deitar. Levou-me às costas pelas escadas acima.

DOMINGO, 12 DE JULHO
Quarto depois da Trindade

Hoje de manhã o meu pai levou-me a mim, à Pandora e ao Bert ao canil Wagtails. A dona, a Sra. Kane, recusa-se a ter lá o *Sabre* mais tempo. Foi muito comovente assistir ao reencontro do Bert e do *Sabre*. A Sra. Kane é uma mulher sem coração, ficou muito zangada quando o meu pai se recusou a pagar a estada do *Sabre*. Estava sempre a alisar o bigode preto com os dedos todos encarquilhados e a dizer coisas muito pouco dignas de uma senhora.

O Bert disse que não torna a separar-se do *Sabre*. Disse que o *Sabre* é o único amigo que tem no mundo! Depois de tudo o que *eu* fiz por ele!! Se não fosse eu, a esta hora já estava morto, e o *Sabre* seria um órfão a viver à custa da Sociedade Protetora dos Animais.

SEGUNDA-FEIRA, 13 DE JULHO

O Bert esteve a falar com a Sra. Singh! Fala hindi fluentemente! Disse que ela tinha encontrado umas revistas indecentes por baixo do linóleo da casa de banho. Uma herança daquele nojento do Lucas!

O Sr. Singh está furioso. Escreveu para a agência imobiliária a queixar-se que a casa dele tinha sido conspurcada.

O Bert mostrou-me uma das revistas. Na minha opinião não são indecentes, mas eu sou um cidadão do mundo. Pu-la debaixo do meu colchão ao pé das *Big and Bouncy*. Chama-se *Amateur Photographer*.

TERÇA-FEIRA, 14 DE JULHO

A assistente social do Bert apareceu cá esta noite. Chama-se Katie Bell. Foi muito estúpida a falar com o Bert. Disse-lhe que lhe tinham arranjado uma vaga num lar de idosos chamado Alderman Cooper Sunshine Home. O Bert disse-lhe que não queria ir. A Katie Bell disse que ele tem de ir. Até o meu pai disse que estava com pena do Bert. Mas não com pena suficiente para dizer ao Bert para ficar a viver connosco!

Pobre Bert, o que irá ser dele?

QUARTA-FEIRA, 15 DE JULHO

O Bert mudou-se para casa dos Singh. O Sr. Singh foi buscar a casota do *Sabre*, por isso é oficial. O Bert anda felicíssimo. O prato favorito dele é caril.

A Pandora deixou-me tocar-lhe no peito. Prometi não dizer a ninguém, mas na verdade não há nada a dizer.

Não consegui perceber onde é que começava o peito dela por baixo da roupa interior, do vestido, da camisola e do anoraque.

Estou a ler *Sexo, os Factos*, do Dr. A. P. G. Haig.

QUINTA-FEIRA, 16 DE JULHO

11 da manhã. O meu pai recebeu hoje o cheque do ordenado como excedentário. Deu saltos à *cowboy* pelo corredor fora. Convidou a Doreen Slater para sair com ele, para festejar. Adivinha quem é que vai ficar a tomar conta do Maxwell? Isso mesmo, querido diário, adivinhaste! Sou eu!

11 da noite. O Maxwell acabou de adormecer, a Pandora telefonou às nove e meia para saber como é que eu estava. Não consegui ouvi-la bem porque o Maxwell estava aos gritos. A Pandora disse para eu experimentar pôr vodca num copo de leite quente e enfiar-lhe aquilo por aquela garganta abaixo. Acabei de o fazer. E resultou.

Ele até nem é mau miúdo quando está a dormir.

SEXTA-FEIRA, 17 DE JULHO
Lua cheia

O meu precioso amor abandona estas paragens amanhã. Vou despedir-me dela ao aeroporto. Espero que o avião não sofra de fadiga metálica. Estive a ver no mapa onde fica a Tunísia e estou bastante aliviado por ver que a Pandora não vai ter de sobrevoar o Triângulo das Bermudas.

Se acontecesse alguma coisa ao meu amor nunca mais voltaria a sorrir.

Comprei-lhe um livro para ler durante o voo. Chama-se *Crash!* e é de um tipo chamado William Goldenstein, III. Explica muito bem o que se deve fazer se acontecer o pior.

SÁBADO, 18 DE JULHO

A Pandora leu o *Crash!* no autocarro para o aeroporto. Quando chamaram para o voo dela estava um bocado histérica e o pai teve de a levar escada acima. Acenei para o avião até desaparecer numa grande nuvem e depois entrei tristemente num autocarro e voltei para casa. Não sei como vou aguentar os próximos quinze dias. Boa noite, minha beleza tunisina.

DOMINGO, 19 DE JULHO
Quinto depois da Trindade

Fiquei na cama a ver a Tunísia no mapa.

SEGUNDA-FEIRA, 20 DE JULHO

Ainda não recebi um postal do meu amor.

TERÇA-FEIRA, 21 DE JULHO

O Bert veio cá hoje de manhã. Disse que a Tunísia está cheia de perigos.

QUARTA-FEIRA, 22 DE JULHO

Porque é que ainda não recebi um postal? O que é que poderá ter acontecido?

QUINTA-FEIRA, 23 DE JULHO

Falei com o nosso carteiro sobre as comunicações entre a Inglaterra e a Tunísia. Ele disse que eram «diabólicas»; disse que na Tunísia são os camelos que transportam o correio.

SEXTA-FEIRA, 24 DE JULHO
Quarto minguante

Fui visitar o Sr. Singh. Ele disse que na Tunísia há muita falta de higiene. Parece que toda a gente conhece a Tunísia, menos eu!

SÁBADO, 25 DE JULHO

PANDORA! PANDORA! PANDORA!

> Oh, meu amor,
> O meu coração está a chorar,
> A minha boca está seca,
> A minha alma está a arder.
> Estás na Tunísia,

Eu estou aqui.

Pensa em mim e verte uma lágrima.

Regressa bronzeada e castanha e saudável.

Tens sorte em o teu pai ter massa.

Ela volta daqui a seis dias.

DOMINGO, 26 DE JULHO
Sexto depois da Trindade

Fui lanchar a casa da minha avó. Estava triste e calado por causa da estada da Pandora na Tunísia. A minha avó perguntou-me se eu estava com prisão de ventre. Estive quase para lhe responder, mas de que vale tentar explicar o que é o *amor* a uma mulher de setenta e seis anos que acha a palavra obscena?

SEGUNDA-FEIRA, 27 DE JULHO

Um postal com um camelo! Dizia:

Meu querido,

As condições económicas aqui são bastante más. Ia comprar-te um presente, mas em vez disso dei todo o meu dinheiro a um mendigo.

Tens um coração tão generoso, Adrian, que tenho a certeza de que vais compreender.

Todo o meu amor até à eternidade.

Para sempre,

Pandora

X

Imaginem, dar o dinheiro do meu presente a um mendigo imundo e preguiçoso! Até o carteiro ficou indignado.

TERÇA-FEIRA, 28 DE JULHO

Até admira que tenha força para segurar na caneta! Passei todo o dia nos preparativos para a festa do casamento real cá na rua. A Sra. O'Leary veio cá a casa pedir se eu a ajudava a engalanar a rua. Disse-lhe: «Acho que é um dever patriótico.» A Sra. O'Leary disse que se eu subisse à escada ela me passava as grinaldas. Senti-me bem durante as primeiras quatro ou cinco filas, mas depois cometi o erro de olhar para baixo e fiquei com vertigens, por isso foi a Sra. O'Leary quem teve de andar a trepar. Não pude deixar de reparar nas cuecas da Sra. O'Leary. Eram surpreendentemente *sexy* para uma pessoa que vai à igreja todos os dias e duas vezes ao domingo. Renda preta! Com fitinhas de cetim vermelho! Fiquei com a sensação de que a Sra. O'Leary sabia que eu estava a olhar para as cuecas porque me disse para a tratar por Caitlin. Foi um alívio quando o Sr. O'Leary veio substituir-me. O Sr. e a Sra. Singh penduraram uma bandeira inglesa gigantesca na janela do quarto. O Bert disse-me que era uma bandeira que ele roubou quando estava na tropa.

A nossa casa está a deixar ficar mal a rua. O meu pai limitou-se a pendurar um pano da loiça com o Carlos e a Diana na porta da rua.

Eu e o meu pai estivemos a ver o fogo de artifício do casamento real na televisão. Só posso dizer que me esforcei por gostar, mas não consegui. O meu pai disse que aquilo era queimar dinheiro. Ainda está amargurado por estar sem emprego.

Espero que o príncipe se lembre de tirar a etiqueta do preço da sola dos sapatos; o meu pai não se lembrou no casamento dele. Toda a gente que estava na igreja a viu. Dizia: «Saldo n.º 42, 10 xelins.»

QUARTA-FEIRA, 29 DE JULHO

DIA DO CASAMENTO REAL!!!!!

Estou mesmo orgulhoso de ser inglês!

Os estrangeiros devem estar fulos!

Somos mesmo os líderes mundiais no que toca a pompa! Tenho de admitir que tinha lágrimas nos olhos ao ver todos os londrinos que se aguentaram em pé desde o nascer do dia, a aplaudir animadamente todas as pessoas ricas, bem vestidas e famosas que passavam nas carruagens e *Rolls-Royces*.

A minha avó e o Bert Baxter vieram para nossa casa ver o casamento porque temos uma televisão a cores de sessenta centímetros. A princípio deram-se bem, mas depois o Bert lembrou-se de que é comunista e começou a dizer coisas contra a monarquia, como «os preguiçosos dos ricos» e «parasitas», e então a minha avó mandou-o de volta à televisão portátil dos Singh.

O príncipe Carlos estava muito elegante, apesar das orelhas. O irmão dele é que é um espetáculo; foi uma pena não terem podido trocar de cabeças só por um dia. A Lady Diana derreteu-me o coração com o vestido branco--sujo. Até ajudou um velhote ao longo da nave da igreja. Acho que foi muito simpático da parte dela, considerando que era o dia do casamento. Estavam lá montes de gente famosa. A Nancy Reagan, o Spike Milligan, o Mark Phillips, etc. A rainha parecia estar com um bocado de inveja. Acho que era porque, para variar, as pessoas não estavam a olhar para *ela*.

O príncipe lembrou-se de tirar a etiqueta dos sapatos. Menos uma preocupação para mim.

Quando o príncipe e a Di trocaram as alianças, a minha avó começou a chorar. Não tinha trazido o lenço e por isso eu tive de ir lá acima buscar um bocado de papel higié-nico. Quando voltei já estavam casados. Portanto, perdi o momento histórico do casamento!

Fiz uma chávena de chá durante aquele interminável intervalo musical, mas voltei a tempo de ver aquela mulher Kiwi a cantar. Que grandes pulmões que ela tem!

A minha avó e eu estávamos mesmo a preparar-nos para ver o percurso triunfal do feliz casal até ao palácio quando se ouviu uma pancada fortíssima na porta da rua. Fingimos que não ouvimos e, por isso, o meu pai foi obrigado a sair da cama para ir abrir a porta. O Bert e o Sr. e a Sra. Singh e todos os pequenos Singh entraram a pedir abrigo. A televisão deles tinha-se avariado! A minha avó cerrou os lábios, não aprecia gente preta, castanha, amarela, irlandesa, judaica ou estrangeira. O meu pai deixou-os entrar e depois levou a minha avó a casa de carro. Os Singh e o Bert juntaram-se à volta da televisão a falar hindi.

A Sra. Singh distribuiu uns pastéis de carne. Comi um e tive de beber quase cinco litros de água. Pensei que a minha boca tinha pegado fogo! Aquilo não era carne.

Vimos televisão até o feliz casal sair da Estação de Vitória num comboio muito estranho. O Bert disse que só era estranho porque estava limpo.

A Sra. O'Leary apareceu a perguntar se podia levar as nossas cadeiras velhas para a festa da rua. Na ausência do meu pai, acedi e ajudei a levá-las para o passeio. A nossa rua estava brutalmente esquisita sem carros e com bandeiras e grinaldas a esvoaçar.

A Sra. O'Leary e a Sra. Singh varreram a rua. Depois ajudámos todos a montar as mesas e cadeiras no meio da rua. As mulheres é que fizeram o trabalho todo, os homens ficaram no passeio a beber de mais e a contar anedotas sobre as núpcias reais.

O Sr. Singh pôs a aparelhagem na janela da sala e ouvimos um LP do Des O'Connor enquanto enchíamos as mesas de sandes, tartes de compota, folhados de salsicha e salsichas espetadas em pauzinhos. Depois a Sra. O'Leary distribuiu uns chapéus cómicos por toda a gente da nossa rua e sentámo-nos para comer. Depois de comermos, o Sr. Singh fez um discurso acerca de como era bom ser inglês. Toda a gente aplaudiu a cantámos todos o hino. Mas só o Sr. Singh é que sabia a letra toda. Depois o meu pai voltou com quatro caixas de cerveja e duas dúzias de copos de papel, e pouco tempo depois estava toda a gente a comportar-se de uma maneira muito pouco digna.

O Sr. O'Leary tentou ensinar uma dança irlandesa à Sra. Singh, mas estava sempre a tropeçar no sari dela. Pus o meu LP dos Abba e pus o volume no máximo e pouco tempo depois até os velhos com quarenta anos e mais estavam a dançar! Quando se acenderam as luzes da rua, o Sean O'Leary subiu aos postes e pôs papel crepe vermelho, branco e azul por cima das lâmpadas para ajudar a criar ambiente, e eu fui a casa buscar o resto das velas e pu-las nas mesas. A nossa rua estava com um ar bastante boémio.

O Bert contou umas mentiras acerca da guerra, o meu pai contou anedotas. A festa durou até à uma da manhã!

Em condições normais, fazem uma petição se alguém pigarrear depois das onze da noite!

Eu não dancei, fui um observador divertido e cínico. Além disso, doíam-me os pés.

QUINTA-FEIRA, 30 DE JULHO

Vi a repetição do casamento real sete vezes na televisão.

SEXTA-FEIRA, 31 DE JULHO
Lua nova

Já estou pelos cabelos com o casamento real.

A Pandora, a amiga dos mendigos, volta amanhã.

SÁBADO, 1 DE AGOSTO

Um postal da minha mãe, quer que eu vá de férias com ela e com aquele nojento do Lucas. Vão para a Escócia. Espero que se divirtam.

O voo da Pandora atrasou-se por causa de uma greve dos bagageiros em Tunes.

DOMINGO, 2 DE AGOSTO
Sétimo depois da Trindade

Os bagageiros continuam em greve e um mendigo roubou o cartão American Express ao pai da Pandora!

A Pandora disse que a mãe tinha sido mordida por um camelo, mas que está a recuperar na casa de banho das senhoras do aeroporto de Tunes. Foi maravilhoso ouvir a voz da Pandora ao telefone, falámos um com o outro mais de meia hora. É mesmo esperta! Conseguiu uma chamada da Tunísia a pagar no destinatário.

SEGUNDA-FEIRA, 3 DE AGOSTO
Feriado na Escócia e na República da Irlanda

Os bagageiros tunisinos aceitaram uma arbitragem das negociações. A Pandora diz que com sorte talvez chegue a casa na quinta-feira.

TERÇA-FEIRA, 4 DE AGOSTO

Os bagageiros tunisinos já conseguem ver uma luz ao fundo do túnel.

A Pandora tem sobrevivido com pacotes de tâmaras e pastilhas de mentol.

QUARTA-FEIRA, 5 DE AGOSTO

Os bagageiros tunisinos já estão a transportar as bagagens. A Pandora chega a casa *SEXTA-FEIRA À NOITE!*

QUINTA-FEIRA, 6 DE AGOSTO

O meu pai recusou uma chamada da Tunísia a pagar no destinatário.

As nossas vias de comunicação foram cortadas.

SEXTA-FEIRA, 7 DE AGOSTO
Quarto crescente

Telefonei para a Tunísia enquanto o meu pai estava a tomar banho. Ele gritou lá de cima a perguntar a quem é que eu estava a telefonar. Eu menti. Disse que estava a ligar para o sinal horário.

O voo da Pandora partiu em segurança. Deve chegar a casa por volta da meia-noite.

SÁBADO, 8 DE AGOSTO

Às 7 da manhã a Pandora telefonou da Estação de St. Pancras. Disse que ia chegar atrasada por causa da eletrificação da linha em Flitwick.

Vesti-me e fui para a estação, comprei um bilhete de gare, esperei na plataforma dois durante seis horas frias e solitárias. Quando cheguei a casa tinha lá um bilhete da Pandora. Dizia assim:

Adrian,

Confesso que fiquei muito desgostosa com a tua aparente frieza em relação à minha chegada. Tinha a certeza de que íamos ter um reencontro emotivo na plataforma três. Mas o destino não quis.

Adieu,

Pandora

Fui a casa da Pandora. Expliquei. Tivemos um reencontro emotivo por trás do telheiro das ferramentas do pai dela.

DOMINGO, 9 DE AGOSTO
Oitavo depois da Trindade

Voltei a tocar no peito da Pandora. Desta vez acho que senti uma coisa macia. A minha coisa está sempre a crescer e a encolher, parece ter vida própria. Não consigo controlá-la.

SEGUNDA-FEIRA, 10 DE AGOSTO

Eu e a Pandora fomos à piscina hoje de manhã. A Pandora estava o máximo com o biquíni branco de fio dental. Está da mesma cor que a Sra. Singh. Não confiei que a minha coisa se portasse bem e por isso sentei-me na galeria do público e fiquei a ver a Pandora a mergulhar da prancha mais alta. Voltámos para minha casa. Mostrei-lhe o meu quarto preto. Acendi um pauzinho de incenso. Pus o LP dos Abba, rapinei uma garrafa de *Sanatogen* cá para cima. Fizemos umas carícias leves, mas depois a Pandora ficou com dores de cabeça e foi para casa descansar.

Eu estava atormentado pela sexualidade, mas passou-me quando fui ajudar o meu pai a deitar adubo no canteiro das roseiras.

TERÇA-FEIRA, 11 DE AGOSTO

Recebi outro postal da minha mãe.

Querido Aidy,

Não fazes a mais pequena ideia do quanto desejo ver-te. O laço maternal continua tão forte como sempre foi. Sei que te sentes ameaçado pelo meu relacionamento com o Bimbo, mas a sério, Aidy, não é preciso. O Bimbo satisfaz os meus desejos sexuais. Nem mais, nem menos. Por isso, Aidy, cresce e vem à Escócia.

Com muito amor,

Pauline (mãe)

P. S. Saímos no dia 15. Apanha o comboio das 8.22 para Sheffield.

O carteiro disse que se a minha mãe fosse mulher dele lhe dava uma valente tareia. Ele não conhece a minha mãe. Se alguém *lhe* tocasse com um dedo, ficava feito em papa.

QUARTA-FEIRA, 12 DE AGOSTO

A Pandora acha que uma separação nos vai fazer bem. Diz que as nossas carícias leves e médias irão tornar-se bastante fortes dentro de pouco tempo. Devo admitir que a tensão tem tido um efeito negativo na minha saúde. Não tenho energia nenhuma e o meu sono está sempre a ser interrompido por sonhos com o biquíni branco da Pandora e as cuecas da Sra. O'Leary.

Afinal, se calhar vou à Escócia.

QUINTA-FEIRA, 13 DE AGOSTO

O meu pai decidiu ir para Skegness no dia 15. Reservou uma rulote para quatro pessoas. Vai levar a Doreen e o Maxwell! Está a contar que eu vá também!

Se eu for, as pessoas vão pensar automaticamente que a Doreen é minha mãe e o Maxwell meu irmão!

Vou à Escócia.

SEXTA-FEIRA, 14 DE AGOSTO

Passei uma última e trágica noite com a Pandora. Jurámos ser fiéis um ao outro. Já fiz as minhas malas. O cão foi para casa da minha avó com catorze latas de *Pedigree Chum* e um saco gigante de *Winalot*.

Vou levar *Fuga da Infância*, de John Holt, para ler no comboio.

SÁBADO, 15 DE AGOSTO
Lua cheia

O meu pai, o Gafanhoto e o Rato Maxwell foram levar-me à estação. O meu pai não se importou nada que eu tivesse escolhido a Escócia em vez de Skegness. Na verdade, até me pareceu bastante contente. A viagem de comboio foi terrível. Tive de ir de pé até Sheffield. Conversei com uma senhora numa cadeira de rodas que ia no lugar do revisor. Era muito simpática, disse que a única vantagem de ser deficiente é que arranjava sempre lugar sentado nos comboios. Nem que fosse no lugar do revisor.

A minha mãe e o nojento do Lucas estavam à minha espera em Sheffield. A minha mãe está muito magra e começou a usar roupas demasiado jovens para ela. O nojento do Lucas estava de calças de ganga! Tinha a barriga a cair por cima do cinto. Fingi que ia a dormir até chegarmos à Escócia.

O Lucas não parou de mexer na minha mãe, até quando ia a guiar.

Estamos num sítio chamado Loch Lubnaig. Estou na cama, numa cabana de madeira. A minha mãe e o Lucas foram à aldeia tentar comprar tabaco. Pelo menos foi essa a desculpa que deram.

DOMINGO, 16 DE AGOSTO
Nono depois da Trindade

Há um lago à frente da cabana e um pinhal e uma montanha por trás da cabana. Não há nada para fazer. É uma chatice de morte.

SEGUNDA-FEIRA, 17 DE AGOSTO

Lavei roupa suja na lavandaria, que também fica numa cabana. Conversei com um turista americano chamado Hamish Mancini; é da minha idade. A mãe dele vai na quarta lua de mel.

TERÇA-FEIRA, 18 DE AGOSTO

Choveu todo o dia.

QUARTA-FEIRA, 19 DE AGOSTO

Mandei postais. Telefonei à Pandora, a pagar no destinatário. O pai dela não aceitou a chamada.

QUINTA-FEIRA, 20 DE AGOSTO

Joguei às cartas com o Hamish Mancini. A mãe dele e o padrasto e a minha mãe e o amante foram de carro visitar uma queda-d'água. Grande coisa!

SEXTA-FEIRA, 21 DE AGOSTO

Andei quase cinco quilómetros até Callander para comprar um chocolate *Mars*. Joguei *Space Invaders*. Voltei, lanchei. Telefonei à Pandora da cabana-cabina telefónica. A pagar no destinatário. Ela ainda me ama. Eu ainda a amo. Fui para a cama.

SÁBADO, 22 DE AGOSTO
Quarto minguante

Fui ver a campa do Rob Roy. Vi-a e vim-me embora.

DOMINGO, 23 DE AGOSTO
Décimo depois da Trindade

A minha mãe conheceu um casal chamado Sr. e Sra. Ball. Foram ao Castelo de Stirling. A Sra. Ball tem uma filha que é escritora. Perguntei-lhe onde é que a filha tinha estudado para ser escritora. A Sra. Ball disse que a filha tinha caído e batido com a cabeça quando era pequenina e que desde aí tinha ficado um «bocado pirada».

A Sra. Ball faz hoje anos e então vieram todos fazer a festa para a nossa cabana. Queixei-me do barulho à uma da manhã, às duas da manhã, às três da manhã e às quatro da manhã. Às cinco da manhã decidiram ir escalar a montanha! Chamei-lhes a atenção para o facto de estarem perdidos de bêbedos, de serem demasiado velhos, de não estarem preparados, de estarem em má forma e de desconhecerem por completo as técnicas de sobrevivência, não tinham uma caixa de primeiros socorros, não tinham botas resistentes, não tinham bússola, nem mapa, nem bebidas quentes.

Fizeram orelhas moucas aos meus avisos. Subiram todos à montanha, desceram e às onze e meia da manhã estavam a fazer ovos com *bacon*.

No momento em que estou a escrever, o Sr. e a Sra. Ball estão a andar de canoa no lago. Devem andar drogados.

SEGUNDA-FEIRA, 24 DE AGOSTO

Fui a Edimburgo. Vi o castelo, o Museu dos Brinquedos, o Museu de Arte. Comprei o famoso *haggis*. Voltei para a cabana, estive a ler *Glencoe*, de John Prebble. Amanhã vamos lá.

TERÇA-FEIRA, 25 DE AGOSTO

O massacre de Glencoe foi a 13 de fevereiro de 1692. A 14 de fevereiro, John Hill escreveu ao conde de Tweeddale: «Arrasei Glencoe.»

Estava cheio de razão, não há lá nada. Amanhã, Glasgow.

QUARTA-FEIRA, 26 DE AGOSTO

Atravessámos Glasgow de carro às onze da manhã e mesmo assim contei vinte e sete bêbedos em menos de dois quilómetros! Todas as lojas, menos as de *bricolage*, tinham grades nas janelas. As lojas de bebidas tinham os telhados protegidos com arame farpado e vidros partidos. Passeámos um bocado e depois a minha mãe convenceu o nojento do Lucas a levá-la ao Museu de Arte de Glasgow. Eu estava para ficar no carro a ler *Glencoe*, mas com tantos bêbedos aos tropeções de um lado para o outro decidi ir com eles contra a minha vontade.

Ainda bem que fui! Arriscava-me a ter vivido sem ter uma experiência cultural tão importante!

Vi o quadro da Crucificação do Salvador Dalí!!! *O verdadeiro!* Não uma reprodução!

Penduraram-no ao fundo de um corredor de maneira a ir mudando à medida que nos vamos aproximando. Quando finalmente chegamos lá ao pé, sentimo-nos uns anões. É absolutamente fantástico!

Enorme! Com cores brutais e Jesus parece mesmo um tipo verdadeiro. Comprei seis postais do quadro no museu, mas claro que não é a mesma coisa que o quadro.

Um dia hei de trazer a Pandora para ver o quadro. Talvez na nossa lua de mel.

QUINTA-FEIRA, 27 DE AGOSTO

Hoje, Oban. Choquei com o Sr. e a Sra. Swallow, que vivem na rua a seguir à minha. Estavam sempre a dizer: «Como o mundo é pequeno, não é?» A Sra. Swallow perguntou ao nojento do Lucas pela mulher dele. O Lucas disse que a mulher dele tinha fugido com outra mulher. Nessa altura, coraram todos, disseram outra vez como o mundo é pequeno e despediram-se. A minha mãe ficou furiosa com o Lucas. Disse: «É preciso dizeres a toda a gente?» E: «Como é que achas que eu me sinto a viver com um homem abandonado por uma mulher lésbica?» O Lucas lamuriou-se um bocado, mas depois a minha mãe fez a cara que a minha avó costuma fazer. E nessa altura ele calou-se.

SEXTA-FEIRA, 28 DE AGOSTO

Hoje, Fort William. Ben Nevis foi outra desilusão. Não percebi onde é que começava e onde é que acabava. As outras montanhas e as colinas baralham tudo. O Lucas caiu num *burn* (pequeno riacho em escocês), mas, infelizmente era pouco fundo para ele se afogar.

SÁBADO, 29 DE AGOSTO
Lua cheia

Fui dar um passeio à volta do lago com o Hamish Mancini. Disse-me que acha que a mãe está a caminho do quarto divórcio. Vai regressar a casa hoje à noite. Tem consulta marcada com o psicanalista na segunda-feira de manhã, em Nova Iorque.

Já acabei de fazer as malas e estou à espera que a minha mãe e o nojento do Lucas voltem lá do pinhal do sítio para onde vão fazer amor às escondidas.

Partimos de madrugada.

DOMINGO, 30 DE AGOSTO
Décimo primeiro depois da Trindade

Obriguei o Lucas a parar em Gretna Green para comprar lembranças. Comprei uma pedra em forma de lontra para a Pandora, uma boina com um berloque para o Bert, um laço em xadrez para pôr ao pescoço do cão, uma caixa de doces típicos para a minha avó, biscoitos escoceses para o Gafanhoto, uma chucha de caramelo para o Maxwell. Para o meu pai comprei um pano da loiça em xadrez.

Para mim comprei um bloco de notas com a capa em xadrez. Estou firmemente decidido a tornar-me escritor.

Aqui está um extrato de «Os meus pensamentos sobre a Escócia», escrito na estrada M6 a quase duzentos quiló-metros por hora:

A aura de nevoeiro afasta-se, deixando que os majestosos picos da Escócia se revelem em toda a sua majestade. Uma forma no translúcido céu revela ser uma águia, essa majestosa ave de rapina. Garras aceradas, aterra num lago, fazendo ondular a serena majestade das águas turbulentas. A águia detém-se apenas o tempo suficiente para mergulhar o seu majestoso bico nas águas antes de abrir as suas majestosas asas e voar para o seu majestoso ninho, bem alto nas montanhas desertas, áridas e despidas.

O gado das Highlands. Uma majestosa fera cornuda dos vales baixa a sua majestosa cabeça de olhos castanhos e pelo hirsuto enquanto rumina sobre os mistérios de Glencoe.

Há uns «majestosos» a mais. Mas acho que se lê bas-tante bem. Vou mandá-lo para a BBC quando estiver aca-bado. Chegámos a casa às seis da tarde. Estou demasiado cansado para escrever mais.

SEGUNDA-FEIRA, 31 DE AGOSTO
Feriado no Reino Unido (exceto Escócia)

Está toda a gente lisa. Os bancos estão fechados e o meu pai não consegue lembrar-se do código secreto do cartão. Teve o descaramento de pedir cinco libras emprestadas ao Bert Baxter. Imaginem, pedir dinheiro emprestado a um idoso reformado! Que falta de dignidade.

Agora eu e a Pandora estamos loucamente apaixonados! A separação apenas serviu para alimentar a nossa paixão. As nossas hormonas ficam aos pulos de cada vez que nos encontramos. A noite passada a Pandora dormiu com a lontra de pedra na mão. Quem me dera ser eu a lontra de pedra.

TERÇA-FEIRA, 1 DE SETEMBRO

O Sr. Singh vai ter de voltar para a Índia para tomar conta dos pais, por isso disseram ao Bert que tem de voltar para aquela casa velha e imunda! O Sr. Singh diz que não tem confiança em deixar as mulheres lá de casa sozinhas com o Bert. Como é que alguém pode ser tão estúpido? O Bert não se importou muito. Disse que era «um grande elogio».

Eu e a Pandora vamos limpar a casa do Bert e ajudá-lo na mudança. Ele está a dever à Câmara duzentas e noventa e quatro libras de rendas atrasadas. Tem de pagar as dívidas a cinquenta *pence* por semana, por isso de certeza que vai morrer endividado.

QUARTA-FEIRA, 2 DE SETEMBRO

Hoje à tarde, eu e a Pandora fomos ver a casa do Bert. É algo de assustador. Se o Bert fosse receber os depósitos de todas as garrafas que tem em casa, talvez arranjasse dinheiro para pagar todas as rendas em atraso.

QUINTA-FEIRA, 3 DE SETEMBRO

O meu pai ajudou-nos a tirar os móveis todos do rés do chão da casa do Bert. O caruncho veio apanhar um banho de sol. Quando levantámos as carpetes descobrimos que o Bert anda há anos por cima de uma camada de terra, jornais, ganchos, berlindes e ratos em decomposição. Pendurámos as carpetes na corda da roupa e passámos a tarde toda a batê-las, mas a poeira continuava a sair sem parar. Por volta das cinco da tarde, a Pandora ficou muito entusiasmada porque achou que estava a ver um desenho a aparecer numa das carpetes, mas mais de perto constatou-se que era um bocado de bolo esmagado. Amanhã vamos voltar lá com o detergente para alcatifas da mãe da Pandora. A Pandora diz que foi testado pela *Which?*, mas aposto que nunca foi testado numa imundície como a casa do Bert Baxter.

SEXTA-FEIRA, 4 DE SETEMBRO

Acabei de assistir a um milagre! Hoje de manhã, as carpetes do Bert Baxter eram cinzentas, quase pretas. Agora, uma delas é vermelha e a outra azul. Estão penduradas na corda da roupa a secar. Raspámos o chão e lavámos os móveis com um fungicida. A Pandora tirou as cortinas, mas desfizeram-se antes de ela chegar ao lava-loiça. O Bert tem estado sentado numa cadeira de jardim a criticar e a queixar--se. Não percebe qual é o problema de viver numa casa suja.

Qual é *afinal* o problema de viver numa casa suja?

SÁBADO, 5 DE SETEMBRO

Hoje de manhã, o meu pai foi levar as garrafas do Bert à loja de bebidas. Encheram o porta-bagagem, o banco de trás e o chão do carro. Ficou empestado de cheiro a cerveja. No caminho ficou sem gasolina e chamou a Assistência em Viagem. O homem foi muito mal-educado, disse que o meu pai não precisava da Assistência em Viagem, precisava era dos Alcoólicos Anónimos!

DOMINGO, 6 DE SETEMBRO
Décimo segundo depois da Trindade. Quarto crescente

A casa do Bert está o máximo. Está tudo limpo e a brilhar. Mudámos-lhe a cama para a sala de estar para ele poder ver televisão na cama. A mãe da Pandora fez uns arranjos muito artísticos com flores, e o pai da Pandora fez uma portinhola na porta das traseiras para o Bert não estar sempre a ter de se levantar para abrir a porta ao *Sabre*.

O Bert vai voltar amanhã para casa.

SEGUNDA-FEIRA, 7 DE SETEMBRO
Dia do Trabalho, EUA e Canadá

Uma carta do Hamish Mancini.

Oi, Aid!

Tudo bem? Espero que o caso Pandora continue! Ela parece bem fixe! A Escócia deu-me cabo da pinha! É tão longe de tudo que nunca vai ser atingida por um ataque nuclear! És um grande ser humano, Aid. Acho que fiquei tipo traumatizado quando nos separámos, mas o Dr. Eagelburger (o meu psiquiatra) está a fazer coisas brutais com a minha libido. A minha mãe está arrumada, o número quatro é um travesti e tem uma coleção de coisas da Calvin Kleins melhor que a dela! Não achas que o outono é uma seca? Merda das folhas por todo o lado!

Até à vista, Amigo!!!

Hamish

Mostrei a carta à Pandora, ao meu pai e ao Bert, mas ninguém a percebe. O Bert não gosta de americanos porque demoraram muito tempo a entrar na guerra ou coisa do género.

O Bert já está na sua casa limpa. Nem agradeceu, mas parece estar feliz.

TERÇA-FEIRA, 8 DE SETEMBRO

Porcaria das aulas na quinta-feira. Estive a experimentar a minha farda antiga, mas já me está tão apertada que o meu pai vai ser obrigado a comprar-me uma nova amanhã.

Trepou pelas paredes, mas não posso fazer nada se o meu corpo está numa fase de crescimento, pois não? Agora já só sou cinco centímetros mais baixo que a Pandora. A minha coisa continua estática nos doze centímetros.

QUARTA-FEIRA, 9 DE SETEMBRO

A minha avó telefonou, descobriu que a Doreen e o Maxwell foram a Skegness. Diz que nunca mais fala com o meu pai.

Eis a minha lista de compras:

Blazer	29,99 £
2 pares de calças cinzentas	23,98 £
2 camisas brancas	11,98 £
2 pulôveres cinzentos	7,98 £
3 pares de meias pretas	2,37 £
1 par de calções de ginástica	4,99 £
1 camisola de ginástica	3,99 £
1 fato de treino	11,99 £
1 par de ténis	7,99 £
1 par de botas de futebol e pitões	11,99 £
1 par de meias de futebol	2,99 £

Calções de futebol	4,99 £
Camisola de futebol	7,99 £
Saco de desporto *Adidas*	4,99 £
1 par de sapatos pretos	15,99 £
1 calculadora	6,99 £
Conjunto de caneta e lápis	3,99 £
Conjunto de Geometria	2,99 £

O meu pai pode muito bem gastar cem libras. O ordenado de excedentário dele deve ter sido gigantesco, por isso não sei porque é que não sai da cama e não para de resmungar. É mesmo um forreta! Nem sequer pagou com dinheiro! Pagou com o cartão American Express.

A Pandora elogiou-me quando me viu com o uniforme novo. Diz que acha que eu tenho hipóteses de ser delegado de turma.

QUINTA-FEIRA, 10 DE SETEMBRO

O novo período começou em grande. Sou delegado de turma! A minha primeira obrigação é anotar os atrasos. Tenho de ficar ao pé do buraco da vedação e anotar o nome de quem tentar entrar por ali por estar atrasado. A Pandora também é delegada de turma. Está encarregada de manter o silêncio na fila para o almoço.

Hoje o novo diretor de turma, o Sr. Dock, deu-me o meu novo horário. Tem as disciplinas em que vou a exame e aquelas em que não vou, e é obrigatório fazer Matemática,

Inglês, Educação Física e Religião Comparada. Mas dão-nos a escolher entre temas culturais e criativos. Por isso escolhi Estudos dos Média (fácil à brava, é só ler jornais e ver televisão) e Paternidade (é só aprender coisas sobre sexo, espero eu). O Sr. Dock também nos dá aulas de Literatura Inglesa, por isso temos mesmo de nos dar bem, neste momento sou de certeza o aluno mais letrado da escola. Vou poder ajudá-lo se ele se atrapalhar.

Pedi cinco libras e meia ao meu pai para a viagem de estudo ao Museu Britânico. Ele ficou fulo e disse: «O que é que aconteceu ao ensino gratuito?» Disse-lhe que não sabia.

SEXTA-FEIRA, 11 DE SETEMBRO

Tive uma longa conversa com o Sr. Dock. Expliquei-lhe que sou filho de uma família monoparental e que o meu pai está desempregado e tem muito mau feitio. O Sr. Dock disse que tanto lhe fazia que eu fosse o fruto de uma mãe negra, lésbica ou perneta e de um pai árabe, leproso, anão e corcunda, desde que as minhas redações fossem lúcidas, inteligentes e despretensiosas. Grande apoio!

SÁBADO, 12 DE SETEMBRO

Fiz uma redação lúcida, inteligente e despretensiosa sobre a vida selvagem escocesa matinal. À tarde fui às compras ao Sainsbury's com o meu pai. Vi o Rick Lemon montes de tempo ao pé da banca da fruta; disse que escolher fruta é um ato «altamente político». Rejeitou as maçãs da África do Sul, umas maçãs *golden* francesas deliciosas, laranjas israelitas, tâmaras tunisinas e toranjas americanas. Acabou por escolher ruibardo inglês, «embora», disse ele, «a forma seja fálica e possivelmente sexista». A namorada dele, a Mama (abreviatura de Mary Magdalene), estava a encher o carro de legumes e arroz. Tinha uma saia até aos pés, mas de vez em quando conseguia ver-lhe de relance os tornozelos peludos. O meu pai disse que preferia de longe uma boa perna rapada. O meu pai gosta de *collants*, cintos de ligas, minissaias e decotes grandes! É mesmo antiquado.

DOMINGO, 13 DE SETEMBRO
Décimo terceiro depois da Trindade

Fui ver o *Blossom*. A Pandora já não anda nele porque arrasta os pés pelo chão. Vão dar-lhe um cavalo a sério para a semana que vem. Chama-se *Ian Smith*. As pessoas que vão vendê-lo viviam em África, no Zimbabué.

Amanhã a minha mãe faz anos. Trinta e sete anos.

SEGUNDA-FEIRA, 14 DE SETEMBRO
Lua cheia

Telefonei à minha mãe antes de ir para a escola. Ninguém atendeu. Deve estar na cama com aquele rato nojento do Lucas.

Os almoços da escola agora são uma porcaria. Os molhos parecem ter sido banidos, assim como o leite-creme e os pudins. A ementa típica agora é: hambúrguer, feijões guisados, batatas fritas, um iogurte ou um *donut*. Não é suficiente para formar ossos e músculos saudáveis. Estou a pensar apresentar um protesto à Sra. Thatcher. Não vai ser culpa nossa se crescermos apáticos e sem fibra moral. Talvez a Sra. Thatcher queira que sejamos fracos de mais para fazer manifestações nos próximos anos.

TERÇA-FEIRA, 15 DE SETEMBRO

O Barry Kent chegou atrasado três vezes numa semana. Portanto, é meu triste dever fazer queixa dele ao Sr. Scruton.

A falta de pontualidade é sinal de um cérebro desordenado. Por isso, ele não pode ficar impune.

QUARTA-FEIRA, 16 DE SETEMBRO

A nossa turma vai ao Museu Britânico na sexta-feira. A Pandora e eu vamos sentar-nos ao lado um do outro no autocarro. Ela vai trazer o *Guardian* de casa para podermos ter alguma privacidade.

QUINTA-FEIRA, 17 DE SETEMBRO

Tivemos uma aula sobre o Museu Britânico com a Sra. Fossington-Gore. Disse que é uma «casa fascinante cheia de tesouros dos feitos da humanidade». Ninguém prestou atenção à aula. Estavam todos a ver como ela apalpava o peito esquerdo quando começava a entusiasmar-se.

SEXTA-FEIRA, 18 DE SETEMBRO

2 da manhã. Acabei de chegar de Londres. O condutor do autocarro teve um ataque de loucura de autoestrada na autoestrada. Estou demasiado abalado pela experiência para conseguir fazer um relato lúcido ou inteligente do dia de hoje.

SÁBADO, 19 DE SETEMBRO

A escola é bem capaz de querer um relatório claro de um observador sem ideias feitas sobre o que aconteceu na viagem de ida, durante a visita e na viagem de regresso de Londres. Eu sou a pessoa habilitada para o efeito. A Pandora, apesar de todas as suas qualidades, não tem os meus nervos de aço.

Viagem da turma 4-D ao Museu Britânico

07.00 Entramos no autocarro.

07.05 Comemos o pequeno-almoço embalado, bebemos bebidas com baixo teor calórico.

07.10 O autocarro parou para o Barry Kent vomitar.

07.20 O autocarro parou para a Claire Neilson ir à casa de banho.

07.30 O autocarro saiu da escola.

07.35 O autocarro voltou à escola para ir buscar a mala da Sra. Fossington-Gore.

07.40 O condutor foi visto a ter um comportamento estranho.

07.45 O autocarro parou para o Barry Kent vomitar outra vez.

07.55 Aproximámo-nos da autoestrada.

08.00 O condutor parou o autocarro e pediu a toda a gente para parar de fazer «V» com os dedos para os condutores de camiões.

08.10 O condutor perde as estribeiras, recusa-se a entrar na autoestrada até os «estupores dos professores controlarem os miúdos».

08.20 A Sra. Fossington-Gore manda sentar toda a gente.

08.25 Entramos na autoestrada.

08.30 Toda a gente a cantar «Dez Garrafas Verdes».

08.35 Toda a gente a cantar «Dez Trapos com Ranho Verde».

08.45 O condutor acaba com a cantoria gritando muito alto.

09.15 O condutor para numa estação de serviço e é visto a beber muito de um cantil.

09.30 O Barry Kent distribui tabletes de chocolate roubadas na loja da estação de serviço. A Sra. Fossington-Gore escolhe um *Bounty*.

09.40 O Barry Kent vomita no autocarro.

09.50 Duas raparigas sentadas ao lado do Barry Kent vomitam.

09.51 O condutor recusa-se a parar na autoestrada.

09.55 A Sra. Fossington-Gore cobre o vomitado com areia.

09.56 A Sra. Fossington-Gore vomita que nem um cão.

10.30 O autocarro vai pela berma. Todas as outras vias estão em obras.

11.30 Começa uma luta na parte de trás do autocarro quando se aproxima do fim da autoestrada.

11.45 A luta acaba. A Sra. Fossington-Gore vai buscar o estojo de primeiros socorros e trata das feridas. O Barry Kent vai de castigo sentar-se ao pé do condutor.

11.50 O autocarro avaria-se ao pé da Swiss Cottage.

11.55 O condutor do autocarro fica avariado dos miolos à frente do homem da Assistência em Viagem.

12.30 A turma 4-D apanha um autocarro em Londres para St. Pancras.

13.00 A turma 4-D vai a pé de St. Pancras para Bloomsbury.

13.15 A Sra. Fossington-Gore bate à porta da Travistock House, pergunta se o Dr. Laing pode ver o Barry Kent. O Dr. Laing está na América a fazer uma série de conferências.

13.30 Entrada no Museu Britânico. Adrian Mole e Pandora Braithwaite siderados perante os vestígios do património cultural da humanidade. Resto da turma 4-D espalhada por todo o lado a rir das estátuas de nus e a fugir dos guias.

14.15 A Sra. Fossington-Gore em estado de colapso.
Adrian Mole faz chamada a cobrar no destinatário
para o reitor. O reitor, em reunião com a comissão
de greve das empregadas do refeitório, não pode
ser incomodado.

15.00 Guias reúnem turma 4-D e obrigam-na a sentar-se
nas escadas do museu.

15.05 Turistas americanos fotografam Adrian Mole,
dizendo que é um «aluno inglês giro».

15.15 A Sra. Fossington-Gore recupera e leva a turma
4-D numa visita de autocarro à cidade de Londres.

16.00 O Barry Kent salta para a fonte de Trafalgar
Square, conforme previsto por Adrian Mole.

16.30 O Barry Kent desaparece, a última vez que foi
visto ia a caminho do Soho.

16.35 A polícia chega, leva a turma 4-D para uma
unidade móvel da polícia, requisita autocarro
para o regresso. Telefona aos pais a informar o
novo horário de chegada. Telefona para casa do
reitor. A Claire Neilson tem um ataque de histeria.
A Pandora Braithwaite diz à Sra. Fossington-
-Gore que ela é a vergonha dos professores.
A Sra. Fossington-Gore concorda em pedir
a demissão.

18.00 O Barry Kent é encontrado numa *sex shop*.
É acusado de roubo de uma pomada «para
engrossar» e de dois «vibradores».

19.00 O autocarro parte da polícia com escolta policial.

19.30 A escolta da polícia diz adeus.

19.35 O condutor implora a Pandora Braithwaite que mantenha a ordem.

19.36 A Pandora Braithwaite mantém a ordem.

20.00 A Sra. Fossington-Gore redige o pedido de demissão.

20.30 O condutor do autocarro tem um ataque de fobia da autoestrada.

20.40 Chegada ao destino. Pneus queimados. Turma 4-D silenciada pelo terror. A Sra. Fossington--Gore é levada pelo Sr. Scruton. Pais sublevados. O condutor do autocarro é acusado pela polícia.

DOMINGO, 20 DE SETEMBRO
Décimo quarto depois da Trindade.
Quarto minguante

Continuo a ter ataques de ansiedade de cada vez que penso em Londres, em cultura ou na autoestrada. Os pais da Pandora estão a apresentar uma queixa oficial a tudo quanto é gente.

SEGUNDA-FEIRA, 21 DE SETEMBRO

O Sr. Scruton elogiou-me a mim e à Pandora pelas nossas qualidades de liderança. A Sra. Fossington-Gore está de baixa. Todas as futuras viagens de estudo foram canceladas.

TERÇA-FEIRA, 22 DE SETEMBRO

A polícia retirou as acusações contra o condutor do autocarro porque existem «provas de provocação grave». A *sex shop* não vai apresentar queixa porque oficialmente o Barry Kent é uma criança. Uma criança! O Barry Kent nunca foi criança.

QUARTA-FEIRA, 23 DE SETEMBRO

O Sr. Scruton acabou de ler o meu relatório sobre a viagem a Londres. Deu-me dois valores de mérito por ele!

Hoje vinha nos jornais que o Museu Britânico está a ponderar acabar com as visitas escolares.

QUINTA-FEIRA, 24 DE SETEMBRO

Eu e a Pandora andamos a desfrutar do fim do outono juntos, passeando sobre as folhas e sentindo o cheiro das queimadas. Foi o primeiro ano em que consegui passar por baixo de um castanheiro sem lhe atirar um pau.

A Pandora diz que eu estou a ficar maduro muito depressa.

SEXTA-FEIRA, 25 DE SETEMBRO

Hoje à noite fui apanhar castanhas com o Nigel. Encontrei cinco enormes e esmaguei a do Nigel. Ah! Ah! Ah!

SÁBADO, 26 DE SETEMBRO

Levei o *Blossom* a ver o Bert. Já não pode andar muito.

Vão vender o *Blossom* a uma família rica, uma rapariga chamada Camilla vai aprender a montar nele. A Pandora diz que a Camilla é tão queque que nem se consegue perceber o que diz. O Bert ficou brutalmente triste e disse: «Tu e eu vamos acabar no matadouro, meu querido.»

DOMINGO, 27 DE SETEMBRO
Décimo quinto depois da Trindade

O *Blossom* foi-se embora às dez e meia da manhã. Dei-lhe uma maçã que custou dezasseis *pence* para o distrair do desgosto. A Pandora correu atrás do atrelado para cavalos a gritar: «Mudei de ideias», mas o atrelado não parou.

A Pandora também mudou de ideias em relação ao *Ian Smith*. Não quer voltar a ver nenhum pónei ou cavalo. Está cheia de remorsos por ter vendido o *Blossom*.

O *Ian Smith* chegou às duas e meia da tarde e foi devolvido. Tinha qualquer coisa de maléfico no focinho preto quando se foi embora no atrelado. O pai da Pandora vai ao banco amanhã cedo para cancelar o cheque que passou na quinta-feira passada. A cara dele também tinha qualquer coisa de maléfico.

SEGUNDA-FEIRA, 28 DE SETEMBRO
Lua nova

O Bert tem qualquer coisa nas pernas. O médico diz que ele precisa de serviços de enfermagem diários. Fui lá hoje, mas ele é pesado de mais para eu andar com ele de um lado para o outro. A enfermeira do centro de saúde acha que o Bert estava melhor no Alderman Cooper Sunshine Home. Mas eu não acho. Passo por lá quando vou para a escola. Parece um museu. Os velhotes parecem objetos em exposição.

> Bert, és velho à brava.
> Gostas do *Sabre*, de beterraba e de *Woodbines*.
> Não temos nada em comum,
> Eu tenho catorze anos e meio,
> Tu tens oitenta e nove.
> Tu cheiras mal, eu não.
> Porque somos amigos
> É um mistério para mim.

TERÇA-FEIRA, 29 DE SETEMBRO

O Bert não se dá bem com a enfermeira do centro de saúde. Diz que não gosta que as suas partes sejam remexidas por uma mulher. Eu cá não me importava.

QUARTA-FEIRA, 30 DE SETEMBRO

Ainda bem que setembro vai acabar, só trouxe problemas.
O *Blossom* foi-se embora. A Pandora está triste. As pernas
do Bert estão a dar as últimas. O meu pai continua sem
trabalho. A minha mãe continua enfeitiçada por aquele
nojento do Lucas.

OUTONO

QUINTA-FEIRA, 1 DE OUTUBRO

7.30 da manhã. Acabei de acordar e dei com o queixo cheio de borbulhas! Como é que eu vou encarar a Pandora?

10 da noite. Evitei a Pandora todo o dia, mas ela apanhou-me ao almoço na escola. Tentei comer com a mão por cima do queixo, mas é muito difícil. Confessei-lhe o que se passava quando estava a comer o iogurte. Ela aceitou a minha deficiência com toda a calma. Disse que não fazia diferença para o nosso amor, mas não pude deixar de pensar que os beijos dela não tinham a mesma paixão que costumam ter quando nos despedimos depois da reunião do Clube Juvenil.

SEXTA-FEIRA, 2 DE OUTUBRO

6 da tarde. Estou muito infeliz e mais uma vez procurei consolo na grande literatura. Não me surpreende que os intelectuais se suicidem, enlouqueçam ou morram de tanto beber. Sentimos as coisas mais do que as outras pessoas.

Sabemos que o mundo está pobre e que os queixos são arruinados por borbulhas. Estou a ler *Progresso, Coexistência e Liberdade Intelectual*, de Andrei D. Sakharov.

Segundo a capa, é um «documento de importância inestimável».

11.30 da noite. Segundo eu, Adrian Mole, *Progresso, Coexistência e Liberdade Intelectual* é uma chatice inestimável.

Discordo da análise de Sakharov às causas do renascimento do estalinismo. Estamos a dar a Rússia na escola, por isso falo com conhecimento de causa.

SÁBADO, 3 DE OUTUBRO

A Pandora está a ficar um bocado fria. Hoje não apareceu em casa do Bert. Tive de fazer toda a limpeza sozinho.

Como de costume, fui ao Sainsbury's à tarde; estão a vender bolo-rei. Sinto que a minha vida está a fugir-me por entre os dedos. Estou a ler *O Monte dos Vendavais*. É brilhante. Se conseguisse levar a Pandora a um sítio alto, tenho a certeza de que íamos conseguir reavivar a nossa antiga paixão.

DOMINGO, 4 DE OUTUBRO
Décimo sexto depois da Trindade

Convenci a Pandora a dar o nome para o curso de sobrevivência na montanha do Clube Juvenil em Derbyshire. O Rick Lemon vai mandar uma lista do equipamento e um impresso de autorização dos nossos pais. Ou, no meu caso, do pai. Só tenho duas semanas para ficar em forma. Estou a tentar fazer cinquenta flexões por noite. Tento mas não consigo. Dezassete foi o máximo que consegui até agora.

SEGUNDA-FEIRA, 5 DE OUTUBRO

O Bert foi raptado pela Segurança Social! Puseram-no no Alderman Cooper Sunshine Home. Fui lá vê-lo. Está num quarto com um velho chamado Thomas Bell. Têm os dois os nomes nos cinzeiros. O *Sabre* arranjou lugar no hotel da Sociedade Protetora dos Animais.

O nosso cão desapareceu. É um mau presságio.

TERÇA-FEIRA, 6 DE OUTUBRO
Quarto crescente

Eu e a Pandora fomos visitar o Bert, mas foi uma perda de tempo.

O quarto dele teve um estranho efeito em nós, tirou--nos a vontade de falar fosse do que fosse. O Bert diz que vai processar a Segurança Social por tê-lo privado dos seus direitos. Diz que tem de ir para a cama às nove e meia! Não é justo, porque ele está habituado a ficar a pé até ao *Fim da Emissão*. Passámos pela sala no caminho para a saída. Os velhos estavam sentados à volta das paredes numas cadeiras altas. A televisão estava ligada mas ninguém estava a ver, parecia que os velhos estavam todos a pensar.

A Segurança Social mandou pintar as paredes de cor de laranja para ver se anima os velhos. Não parece ter resultado.

QUARTA-FEIRA, 7 DE OUTUBRO

O Thomas Bell morreu durante a noite. O Bert diz que ninguém sai vivo do lar. O Bert é o hóspede mais velho. Está terrivelmente preocupado com a ideia de morrer. É o único homem em todo o lar. A Pandora diz que as mulheres vivem mais tempo do que os homens. Diz que é uma espécie de bónus por as mulheres começarem a sofrer mais cedo.

O nosso cão ainda não apareceu. Pus um anúncio na loja do Sr. Cherry.

QUINTA-FEIRA, 8 DE OUTUBRO

O Bert ainda está vivo, por isso levei o *Sabre* a visitá-lo. Empurrámos o Bert até à janela do canto e ele disse adeus ao *Sabre*, que estava lá fora no relvado. Não são permitidos cães no lar. É outra das regras estúpidas deles.

O nosso cão continua desaparecido, agora está dado como morto.

SEXTA-FEIRA, 9 DE OUTUBRO

A diretora do lar diz que se o Bert se portar bem pode sair aos domingos. Vai almoçar e lanchar a nossa casa no domingo.

Chegou a conta do telefone. Escondi-a debaixo do colchão, é de duzentas e oitenta e nove libras e dezanove *pence*.

SÁBADO, 10 DE OUTUBRO

Estou muito preocupado com o nosso cão. Desapareceu da vizinhança. O Nigel, a Pandora e eu andámos à procura dele por todos os becos.

Outra preocupação é o meu pai. Fica na cama até ao meio-dia, depois cozinha uma porcaria qualquer numa frigideira, abre uma lata ou uma garrafa, depois senta-se e fica a ver o *After Noon Plus*. Não se mexe para arranjar outro emprego. Precisa de tomar banho, de cortar o cabelo e de fazer a barba. Na próxima terça-feira é a noite dos pais na escola. Levei o melhor fato dele à lavandaria.

Comprei um livro na W. H. Smith, só custou cinco *pence*. Foi escrito por um autor sem sucesso chamado Drake Fairclough; chama-se *Cordon Bleu para Idosos*. Amanhã o Bert vem cá a casa. O pai da Pandora mandou retirar o telefone. Descobriu a história das chamadas a pagar no destinatário.

DOMINGO, 11 DE OUTUBRO
Décimo sétimo depois da Trindade

VISITA DO BERT

Levantei-me cedo hoje de manhã e tirei a mobília da entrada para a cadeira de rodas do Bert ter espaço de manobra. Fiz uma chávena de café para o meu pai e levei-

-lha à cama, depois comecei a cozinhar *coq au vin* geriá-trico. Deixei-o ao lume enquanto voltei lá acima para tornar a acordar o meu pai. Quando voltei para baixo soube que o *coq au vin* estava uma porcaria. O vinagre tinha desa-parecido todo e ficou só o frango queimado. Fiquei muito desapontado porque tinha pensado fazer hoje a minha estreia como cozinheiro. Queria impressionar a Pandora com os meus múltiplos talentos, acho que ela anda a ficar um bocado farta das minhas conversas sobre a grande lite-ratura e a indústria de cabedais norueguesa.

O Bert insistiu em trazer uma grande arca quando o pai da Pandora o foi buscar ao lar. Com a arca e a cadeira de rodas e o Bert esparramado no banco de trás tive de ir no porta-bagagem. Demorou séculos a tirar o Bert do carro para a cadeira de rodas. Quase tanto tempo como eu demorei a tirar o meu pai da cama.

O pai da Pandora ficou para tomar um copo rápido, depois um para aperitivo, outro copo para empurrar e outro para o caminho. Depois bebeu outro para provar que nunca se embebedava durante o dia. Os lábios da Pandora começaram a ficar mais finos (devem ser as mulheres que ensinam as raparigas a fazer aquilo). Depois tirou-lhe as chaves do carro e telefonou à mãe para vir buscar o carro. Tive de suportar ver o meu pai a imitar um tipo qualquer chamado Frank Sinatra a cantar «One for my baby and one more for the road». O pai da Pandora fingiu que era *barman* com a nossa molheira da Tupperware. Estavam os dois bêbedos a cantar quando a mãe da Pandora chegou.

Os lábios dela ficaram tão finos que praticamente desapareceram. Mandou a Pandora e o pai da Pandora para o carro e depois disse que já era mais do que tempo de o meu pai fazer alguma coisa da vida. Disse que sabia que o meu pai se sentia humilhado, abandonado e amargo por estar desempregado, mas que estava a dar um mau exemplo a um adolescente impressionável. Depois foram-se embora a quinze quilómetros por hora. A Pandora mandou-me um beijo pelo vidro de trás do automóvel.

Discordo plenamente! Já nada do que o meu pai faz me impressiona. Comemos arroz de caril de pacote ao almoço, durante o qual a Sra. Singh apareceu e esteve a falar em hindi com o Bert. Pareceu achar o nosso caril muito engraçado, estava sempre a apontar para ele e a rir-se. Às vezes acho que sou a única pessoa do mundo que ainda tem maneiras.

O Bert disse ao meu pai que está convencido de que a diretora do lar está a tentar envená-lo (o Bert, não o meu pai), mas o meu pai disse que a comida das instituições é sempre igual. Quando chegou a hora de voltar para o lar, o Bert começou a chorar. Dizia: «Não me obriguem a voltar para lá», e outras coisas de cortar o coração. O meu pai explicou que não tínhamos meios para tratar dele em nossa casa, por isso levou o Bert para o carro (apesar de ele estar sempre a travar a cadeira de rodas). Pediu-nos que guardássemos a arca em nossa casa. Disse que era para ser aberta depois da sua morte. Tem a chave pendurada ao pescoço, num cordel.

O cão continua ausente em parte incerta.

SEGUNDA-FEIRA, 12 DE OUTUBRO
Dia de Colombo, EUA. Dia de Ação de Graças, Canadá

Esta noite fui à reunião do Clube Juvenil. O Rick Lemon deu-nos uma aula sobre técnicas de sobrevivência. Disse que a melhor coisa a fazer quando se sofre de hipotermia é entrar para dentro de um saco de plástico com uma mulher nua. A Pandora protestou formalmente e a namorada do Rick Lemon, a Mama, levantou-se e saiu da sala. Malvada sorte a minha, estar na montanha com uma mulher frígida!

Descansa em paz, cão!

TERÇA-FEIRA, 13 DE OUTUBRO
Lua cheia

Recebi um telefonema da minha avó muito zangada a perguntar quando é que eu ia lá buscar o cão! O estúpido do cão apareceu lá em casa no dia 6 de outubro. Fui imediatamente para lá e fiquei chocado com o aspeto do cão: parece velho e cinzento. Em idade humana tem onze anos. Em idade de cão já tinha direito a reforma. Nunca vi um cão envelhecer tão depressa. Estes oito dias com a minha avó devem ter sido um inferno. A minha avó é muito severa.

QUARTA-FEIRA, 14 DE OUTUBRO

Já estou quase habituado às velhinhas do lar. Vou lá todos os dias à tarde quando venho da escola. Elas parecem ficar satisfeitas por me ver. Uma delas está a tricotar um gorro para o meu fim de semana de sobrevivência. Chama-se Queenie.

Esta noite fiz trinta e seis flexões e meia.

QUINTA-FEIRA, 15 DE OUTUBRO

Fui ao Clube Juvenil para experimentar umas botas de montanhismo horrorosas e nojentas, para ver se me serviam. O Rick Lemon alugou-as numa loja de artigos de montanhismo. Para as minhas me servirem tenho de calçar três pares de meias. Vamos ser seis. O Rick vai ser o nosso guia.

Ele não tem habilitações mas tem experiência em sobrevivências em condições adversas. Nasceu e cresceu na Cidade Nova de Kirby. Fui ao Sainsbury's comprar a minha comida de sobrevivência. Temos de levar a comida e o equipamento na mochila, por isso o peso é um fator importante. Comprei:

1 caixa de *cornflakes*

2 litros de leite

1 caixa de saquetas de chá

1 lata de ruibarbo

2,5 kg de batatas

250 g de toucinho

250 g de manteiga

2 pães

500 g de queijo

2 pacotes de bolachas

1 kg de açúcar

papel higiénico
detergente para a loiça
2 latas de atum
1 lata de carne guisada
1 lata de cenouras

Mal consegui levar a minha comida de sobrevivência do Sainsbury's até casa, por isso não estou a ver como é que vou aguentá-la numa caminhada pelas montanhas! O meu pai sugeriu que deixasse alguma em casa. Por isso não pus o rolo de papel higiénico nem os *cornflakes* na mochila.

SEXTA-FEIRA, 16 DE OUTUBRO

Decidi não levar o meu diário para Derbyshire. Não posso garantir que não iria ser lido por olhos hostis. Além disso, não cabe na mochila.

Agora tenho de acabar, a carrinha está lá fora e não para de buzinar.

SÁBADO, 17 DE OUTUBRO

DOMINGO, 18 DE OUTUBRO
Décimo oitavo depois da Trindade

8 da noite. É maravilhoso estar de volta à civilização!

Vivi como um selvagem ignóbil nos últimos dois dias. Dormir no chão duro apenas com um saco-cama entre mim e os elementos! Tentar cozinhar batatas fritas num foga-reiro a petróleo! Atravessar riachos com as minhas botas tortuosas! Ter de cumprir as minhas funções naturais ao ar livre! Limpar o meu rabo com folhas! Não poder tomar banho nem lavar os dentes! Sem televisão, nem telefonia, nem nada! O Rick Lemon nem sequer nos deixou ir para a carrinha quando começou a chover! Disse que tínha-mos de fazer um abrigo a partir com o que a natureza nos desse! A Pandora encontrou um saco de plástico de comida para animais e então fizemos turnos a sentarmo-nos debaixo dele.

Não sei como é que sobrevivi. Os ovos partiram-se, o pão ficou todo molhado, os biscoitos ficaram em migalhas e ninguém tinha um abre-latas. Quase morri de fome. Graças a Deus, o queijo não verte, não parte, não fica encharcado nem vem em lata. Fiquei feliz quando fomos encontrados e levados para o quartel da Equipa de Salvamento da Mon-tanha. O Rick Lemon levou um raspanete por não ter um mapa nem uma bússola. O Rick disse que conhecia aquelas montanhas como a palma da mão. O chefe da Equipa de Salvamento disse que ele devia estar de luvas porque está-vamos a mais de dez quilómetros da carrinha e íamos na direção contrária!

Agora vou dormir numa cama pela primeira vez em dois dias. Amanhã não vou à escola por causa das bolhas nos pés.

SEGUNDA-FEIRA, 19 DE OUTUBRO

Tenho de descansar os pés durante dois dias. O Dr. Gray foi muito antipático: disse que não estava para ser chamado por causa de umas bolhas nos pés.

Fiquei muito surpreendido com a atitude dele. É do conhecimento geral que os montanhistas apanham gangrena nos dedos dos pés.

TERÇA-FEIRA, 20 DE OUTUBRO
Quarto minguante

Cá estou deitado na cama, sem poder por causa das dores excruciantes, e o meu pai cumpre os seus deveres paternais atirando-me umas sandes de *bacon* três vezes por dia!

Se a minha mãe não voltar depressa para casa, acabo desnutrido e subdesenvolvido. Já não estou a ter os cuidados que devia ter.

QUARTA-FEIRA, 21 DE OUTUBRO

Fui até à escola a coxear. Todos os professores estavam vestidos à maneira porque era o dia dos pais. O meu pai lavou-se e vestiu o melhor fato que tem. Estava com bom aspeto, graças a Deus! Ninguém diria que é um desempregado. Todos os professores disseram que eu era uma mais-valia para a escola.

O pai do Barry Kent estava enjoado que nem um porco. Ah! Ah! Ah!

QUINTA-FEIRA, 22 DE OUTUBRO

Fui a coxear até meio do caminho para a escola. O cão veio atrás de mim. Voltei para casa a coxear. Fechei o cão na arrecadação. Fui até à escola. Um quarto de hora atrasado. O Sr. Scruton disse que eu não estava a dar um bom exemplo, sendo responsável pelos atrasos e chegando atrasado. É fácil para ele falar! Vem todos os dias para a escola num *Ford Cortina* e depois só tem de tomar conta da escola. Eu tenho uma data de problemas e não tenho carro.

SEXTA-FEIRA, 23 DE OUTUBRO

Recebi uma carta do hospital a dizer que vou ser operado às amígdalas na terça-feira, dia 27. Foi um grande choque para mim! O meu pai diz que estou na lista de espera desde os cinco anos! Ou seja, tive de aguentar um ataque anual de amigdalite durante nove anos só porque o Serviço Nacional de Saúde está mal de finanças!

Porque é que as parteiras não podem tirar as amígdalas aos bebés logo ao nascer? Poupavam uma data de trabalho, de dores e de dinheiro.

SÁBADO, 24 DE OUTUBRO
Dia das Nações Unidas

Fui comprar um roupão, cuecas, um pijama e artigos de *toilette*. O meu pai estava a resmungar, como de costume.

Disse que não percebia porque é que eu não podia levar a roupa com que durmo para o hospital. Disse-lhe que ia ficar ridículo com o roupão do Peter Pan e com o pijama do Winnie the Pooh. Para além do desenho estúpido, já não me serve e está todo remendado. Ele disse que quando era pequeno dormia com uma camisa de noite feita de dois sacos de carvão cosidos um ao outro. Telefonei à minha avó para confirmar esta declaração suspeita e o meu pai foi obrigado a repeti-la ao telefone. A minha avó disse que não eram sacos de carvão mas sim de farinha, por isso agora sei que o meu pai é um mentiroso patológico!

O equipamento para o hospital ficou em cinquenta e quatro libras e dezanove *pence*; isto antes da fruta, dos chocolates e do *Lucozade*. A Pandora disse que eu parecia mesmo o Noël Coward com o meu novo roupão de náilon. Eu disse: «Obrigado, Pandora», mas para ser honesto não sei quem é ou quem foi o Noël Coward. Espero que não seja um assassino em série ou coisa do género.

DOMINGO, 25 DE OUTUBRO
Décimo nono depois da Trindade.
Fim da hora de verão em Inglaterra

Telefonei à minha mãe para a avisar da minha iminente intervenção cirúrgica. Ninguém atendeu. É o costume. Ela é mulher para sair com o nojento do Lucas em vez de ficar a reconfortar o seu único filho!

A minha avó telefonou e disse que conhecia uma pessoa que conhecia uma pessoa que conhecia uma pessoa que tinha tirado as amígdalas e que tinha morrido com uma hemorragia na mesa da operação. Terminou dizendo: «Não te preocupes, Adrian, tenho a certeza de que contigo vai correr tudo bem.»

Milhões de obrigados, avó!

SEGUNDA-FEIRA, 26 DE OUTUBRO
Feriado na República da Irlanda

11 da manhã. Fiz a mala, depois fui visitar o Bert. Ele está a ir-se abaixo muito rapidamente, por isso é capaz de ser a última vez que nos vemos. O Bert também conhece uma pessoa que morreu com uma hemorragia depois de uma operação às amígdalas. Espero que seja a mesma pessoa.

Disse adeus à Pandora: ela chorou de uma forma muito emocionante. Trouxe-me uma das antigas ferraduras do *Blossom* para eu levar para o hospital. Disse que um amigo do pai tinha ido tirar um quisto e não tinha acordado da anestesia. Vou dar entrada na Enfermaria Ivy Swallow às duas da tarde, tempo médio de Greenwich.

6 da tarde. O meu pai acabou de sair de ao pé de mim depois de ter estado quatro horas à espera de autorização para se ir embora. Todas as partes do meu corpo foram examinadas. Tiraram-me substâncias líquidas, pesaram-me, lavaram-me, mediram-me e apalparam-me, mas ninguém olhou para a minha garganta!

Pus o dicionário médico da família na mesinha de cabeceira para os médicos o verem e ficarem impressionados. Não posso dizer nada sobre o resto da enfermaria porque as enfermeiras se esqueceram de abrir as cortinas. Penduraram um aviso por cima da minha cama a dizer «Só líquidos». Estou a morrer de medo.

10 da noite. Estou a morrer de fome! Uma enfermeira negra levou-me a comida e as bebidas. Eu devia dormir, mas isto aqui parece um manicómio. Os velhos estão sempre a cair da cama.

Meia-noite. Puseram outro letreiro novo por cima da minha cama a dizer «Nada oral». Estou a morrer de sede! Dava o meu braço direito por uma lata de *Coca-Cola Light*.

TERÇA-FEIRA, 27 DE OUTUBRO
Lua nova

4 da manhã. Estou desidratado!

6 da manhã. Acabaram de me acordar! A operação é só às 10 da manhã. Porque é que não me deixaram dormir? Tenho de tomar outro banho. Disse-lhes que é *dentro* do meu corpo que vou ser operado, mas ninguém ligou.

7 da manhã. Uma enfermeira chinesa ficou dentro da casa de banho para ter a certeza de que eu não bebia água. Não parava de olhar, por isso tive de pôr uma esponja do hospital por cima da minha coisa.

7.30 da manhã. Estou vestido como um lunático, pronto para a operação. Deram-me uma injeção que devia dar-me muito sono, mas estou bem acordado a ouvir uma discussão por causa de uma ficha de um doente que desapareceu.

8 da manhã. A minha boca está completamente seca, vou enlouquecer de sede, não bebo nada desde as nove e quarenta e cinco de ontem à noite. Sinto-me muito leve, as fendas do teto são muito interessantes. Tenho de encontrar um sítio para esconder o meu diário. Não quero bisbilhoteiros a lê-lo.

8.30 da manhã. A minha mãe está ao meu lado! Vai pôr o meu diário na mala dela. Prometeu (pela saúde do cão) não o ler.

8.45 da manhã. A minha mãe está no jardim do hospital a fumar. Está com um ar envelhecido e cansado. Está a pagar pelo deboche.

9 da manhã. A maca está sempre a entrar na enfermaria e a despejar homens inconscientes para a cama. Os homens da maca andam de bata verde e botas de borracha. Deve haver montes de sangue no chão da sala de operações!

9.15 da manhã. A maca vem na minha direção!

Meia-noite. Não tenho amígdalas. Estou numa torrente de dor. A minha mãe demorou treze minutos a encontrar o meu diário na mala. Ainda não está habituada àquela mala. Tem dezassete compartimentos.

QUARTA-FEIRA, 28 DE OUTUBRO

Não consigo falar. Até gemer me faz doer.

QUINTA-FEIRA, 29 DE OUTUBRO

Fui transferido para outra enfermaria. O meu sofrimento era demasiado para os outros doentes suportarem.

Recebi um cartão do Bert e do *Sabre* a desejar as melhoras.

SEXTA-FEIRA, 30 DE OUTUBRO

Hoje consegui beber um bocadinho do caldo da minha avó. Trouxe-o num termo. O meu pai trouxe-me um pacote grande de batatas fritas; já agora podia ter-me trazido um pacote de lâminas de barbear!

A Pandora veio ver-me na hora das visitas, eu não tinha muita coisa a sussurrar-lhe. As conversas esmorecem quando se está entre a vida e a morte.

SÁBADO, 31 DE OUTUBRO
Dia das Bruxas

3 da manhã. Vi-me obrigado a fazer queixa por causa do barulho que vinha da sala das enfermeiras. Estou farto de ouvir (e de ver) enfermeiras bêbedas e polícias de folga bêbedos e aos saltos por todo o lado disfarçados de mágicos e bruxas. A enfermeira Boldry estava a fazer uma coisa particularmente desagradável com uma abóbora.

Vou fazer um seguro de saúde assim que me deixarem.

DOMINGO, 1 DE NOVEMBRO
Vigésimo depois da Trindade

As enfermeiras têm sido muito frias para mim. Dizem que estou a ocupar uma cama que podia ser usada por uma pessoa doente! Só me deixam sair quando conseguir comer uma taça de *cornflakes*. Até agora tenho recusado; não consigo suportar a dor.

SEGUNDA-FEIRA, 2 DE NOVEMBRO

A enfermeira Boldry enfiou-me à força uma colher de *cornflakes* pela garganta ferida abaixo e depois, antes de eu ter tempo para digerir aquilo, começou a desmanchar a minha cama. Ofereceu-se para me pagar o táxi, mas eu disse que ia esperar que o meu pai chegasse para me levar ao colo para o carro.

TERÇA-FEIRA, 3 DE NOVEMBRO
Eleições, EUA

Agora estou na minha cama. A Pandora é um pilar de força. Comunicamos sem palavras. A minha voz ficou danificada com a operação.

QUARTA-FEIRA, 4 DE NOVEMBRO

Hoje grunhi as minhas primeiras palavras numa semana. Disse: «Pai, telefona à mãe a dizer que o pior já passou.» O meu pai não aguentou o alívio e a emoção. Riu-se de uma maneira quase histérica.

QUINTA-FEIRA, 5 DE NOVEMBRO
Quarto crescente

O Dr. Gray diz que a minha voz defeituosa é «a variação normal de voz dos adolescentes». Está sempre maldisposto!

Queria que eu fosse ao consultório e esperasse numa sala cheia de micróbios! Disse que eu devia ir para a rua fazer fogueiras com os rapazes da minha idade. Disse-lhe que já não tinha idade para esses rituais pagãos. Ele disse que tinha quarenta e sete anos e que ainda gostava de uma boa fogueira.

Quarenta e sete! Isso explica muita coisa, já devia estar reformado.

SEXTA-FEIRA, 6 DE NOVEMBRO

O meu pai vai levar-me amanhã a uma festa com uma fogueira (se eu estiver em condições, claro). A festa vai ser para arranjar fundos para as despesas dos Conselheiros de Orientação Matrimonial.

A mãe da Pandora vai fazer a comida e o pai dela está encarregado do fogo de artifício. O meu pai vai estar encarregado de acender a fogueira, por isso vou-me pôr pelo menos a cem metros de distância, já o vi chamuscar as sobrancelhas imensas vezes.

Ontem à noite alguns irresponsáveis da nossa rua fizeram fogueiras nos seus próprios quintais!

É verdade!

Apesar de terem sido avisados dos perigos pela rádio, pela televisão, pela *Blue Peter* e pelos outros meios de comunicação, foram egoístas e levaram a sua avante. Não houve acidentes, mas de certeza que foi por sorte.

SÁBADO, 7 DE NOVEMBRO

A fogueira dos Conselheiros de Orientação Matrimonial foi gigantesca. Foi um bom esforço comunitário. O Sr. Cherry doou centenas de exemplares de uma revista chamada *Now!*. Disse que já estavam a atravancar a arrecadação da loja há mais de um ano.

A Pandora queimou a coleção de banda desenhada da *Jackie*, dizendo que aqueles livros não «sobrevivem a uma análise feminista» e que «não queria que fossem parar às mãos de raparigas mais novas».

O Sr. Singh e todos os Singh pequenos trouxeram estalinhos indianos. Fazem muito mais barulho do que os ingleses. Ainda bem que o nosso cão estava fechado na arrecadação do carvão com algodão nos ouvidos.

Ninguém se queimou com gravidade, mas acho que foi um erro lançarem fogo de artifício enquanto estavam a servir a comida.

Hoje de manhã queimei a conta do telefone.

DOMINGO, 8 DE NOVEMBRO
Vigésimo primeiro depois da Trindade.
Celebração do Dia do Armistício

A nossa rua está cheia de fumo. Fui ver a fogueira, as revistas *Now!* ainda estão no meio das cinzas quentes, recusam-se a arder como deve ser. (A nossa conta do telefone desapareceu, graças a Deus!)

O Sr. Cherry vai ter de abrir uma vala funda e deitar cal por cima das revistas *Now!* antes que toda a gente do bairro fique asfixiada.

Fui ver o Bert. Tinha saído com a Queenie.

SEGUNDA-FEIRA, 9 DE NOVEMBRO

De regresso à escola. O cão está no veterinário para lhe tirarem o algodão dos ouvidos.

TERÇA-FEIRA, 10 DE NOVEMBRO

As minhas maminhas incharam! Estou a transformar-me em rapariga!!!

QUARTA-FEIRA, 11 DE NOVEMBRO
Dia dos Veteranos, EUA. Dia do Armistício, Canadá.
Lua cheia

O Dr. Gray tirou-me da lista de doentes! Disse que o inchaço das maminhas é comum nos rapazes. Normalmente acontece por volta dos doze anos e meio. O Dr. Gray disse que eu era emocional e fisicamente imaturo! Como é que posso ser imaturo? Até já recebi uma carta de recusa da BBC! E como é que podia ir ao consultório com as maminhas inchadas?

Nem sei porque é que ele chama àquilo consultório, quase nunca dá lá consultas.

QUINTA-FEIRA, 12 DE NOVEMBRO

Disse ao Sr. Jones que não podia fazer ginástica por causa das maminhas inchadas. Ele teve uma atitude extremamente rude. Não sei o que é que lhes ensinam no curso para professores.

SEXTA-FEIRA, 13 DE NOVEMBRO

Eu e a Pandora tivemos esta noite uma conversa franca sobre a nossa relação. Ela não quer casar comigo daqui a dois anos!

Prefere investir numa carreira!

Como é natural, fiquei devastado com este golpe. Disse-lhe que não me importava que ela tivesse um emprego numa pastelaria ou coisa do género depois de casarmos, mas ela disse que quer ir para a universidade e que só quer entrar numa pastelaria para comprar um bolo à maneira.

Trocámos algumas palavras duras (as dela foram mais duras do que as minhas).

SÁBADO, 14 DE NOVEMBRO

As revistas *Now!* andam a esvoaçar enfarruscadas pela nossa rua. Parecem ter uma capacidade especial de sobrevivência. A Câmara mandou uma equipa especial para se ver livre delas.

As orelhas do cão já não têm algodão. Agora ele só está a fingir que está surdo.

Fui ver o B. B., mas ele saiu com a Queenie. Anda a empurrá-lo na cadeira de rodas à volta do lar.

DOMINGO, 15 DE NOVEMBRO
Vigésimo segundo depois da Trindade

Li *Uma Cidade como Alice*, de Nevil Shute, é o máximo. Quem me dera ter um amigo intelectual com quem pudesse discutir a grande literatura. O meu pai teima que *Uma Cidade como Alice* foi escrito por Lewis Carroll.

SEGUNDA-FEIRA, 16 DE NOVEMBRO

Cheguei da escola com dores de cabeça. Ando a ficar deprimido com o barulho, os gritos e os empurrões! Os professores bem podiam ser mais bem-comportados!

TERÇA-FEIRA, 17 DE NOVEMBRO

O meu pai é uma séria preocupação para mim. Nem as constantes notícias da gravidez da princesa Diana o animam.

A minha avó já tricotou três pares de botinhas e mandou-as ao cuidado do Palácio de Buckingham. É uma verdadeira patriota.

QUARTA-FEIRA, 18 DE NOVEMBRO
Quarto minguante

As árvores estão completamente nuas.
As suas vestes outonais
Juncam os passeios.
Varredores municipais deitam-lhes fogo
Criando piras municipais.
Eu, Adrian Mole,
Dou-lhes pontapés
E queimo os meus *Hush Puppies*.

Copiei-o cuidadosamente e mandei-o ao John Tydeman, da BBC. Acho que é um homem capaz de gostar de poemas sobre as folhas do outono.

Tenho de ter alguma coisa rapidamente publicada ou transmitida na rádio, se não a Pandora perde todo o respeito por mim.

QUINTA-FEIRA, 19 DE NOVEMBRO

A Pandora sugeriu que eu lance uma revista literária com a copiadora da escola. Escrevi o primeiro número durante a hora do almoço. Chama-se *A Voz da Juventude*.

SEXTA-FEIRA, 20 DE NOVEMBRO

A Pandora esteve a ver *A Voz da Juventude*. Sugeriu que, em vez de ser eu a escrever a revista toda, convide outros escritores talentosos a participarem.

Disse que ia escrever um artigo sobre jardinagem de floreiras. A Claire Neilson escreveu um poema *punk*. É muito *avant-garde*, mas eu não tenho receio de trilhar novos caminhos.

Poema *Punk*

A sociedade é um nojo,
Um vómito ignóbil.
Sob a bandeira inglesa
O Sid era vicioso
O Johnnie estava podre,
Morto, morto, morto.
Morto de tédio.
A Inglaterra fede.
Esgoto do mundo.
Fossa da Europa.

Salvé *punks*,
Reis e rainhas
Das ruas.

Quer que o publique sob pseudónimo porque o pai dela é um deputado do Partido Conservador.

O Nigel escreveu um pequeno artigo sobre manutenção de bicicletas de corrida. É chato à brava, mas não lhe posso dizer nada porque é o meu melhor amigo.

Vai para impressão na quarta-feira.

A Pandora vai passar os *stencils* à máquina durante o fim de semana. Eis o meu primeiro editorial:

Oi, malta,

Aqui está a revista da vossa escola. Isso mesmo! Inteiramente escrita e produzida com mão de obra infantil. Tentei desbravar novos caminhos na nossa primeira edição. Muitos de vocês desconhecerão as maravilhas da jardinagem de floreiras e as alegrias da manutenção de bicicletas de corrida. Se for assim, agarrem-se bem e preparem-se para uma viagem mágica!

ADRIAN MOLE, EDITOR

Vamos cobrar vinte e cinco *pence* por exemplar.

SÁBADO, 21 DE NOVEMBRO

O pai da Pandora roubou uma caixa de *stencils* no emprego. No momento em que estou a escrever, a Pandora está a datilografar as primeiras páginas de *A Voz da Juventude*. Estou quase a acabar um artigo sobre o Barry Kent. Chama-se «Barry Kent: a verdade!». Ele não se atreve a tocar-me com um dedo desde a fantástica intervenção da minha avó, por isso sei que estou em segurança.

Demasiado ocupado para ir visitar o Bert, amanhã vou lá.

DOMINGO, 22 DE NOVEMBRO
Último depois da Trindade

Acabei o artigo sobre o Barry Kent. Vai abanar a escola de alto a baixo. Falei das perversões sexuais do Barry Kent — contei tudo sobre o hábito nojento de ele mostrar a coisa dele por cinco *pence* cada olhadela.

SEGUNDA-FEIRA, 23 DE NOVEMBRO

Recebi um cartão de boas-festas da minha avó e uma carta da companhia dos telefones a dizer que vão cortar o telefone!

Esqueci-me de ir visitar o Bert. Eu e a Pandora andamos muito ocupados a acamar o jornal. Quem me dera acamar a Pandora.

2 da manhã. O que é que vou fazer com a conta do telefone?

TERÇA-FEIRA, 24 DE NOVEMBRO

O Nigel acaba de se ir embora fulo comigo. Não concorda com a edição que fiz ao artigo dele. Tentei explicar-lhe que mil e quinhentas palavras sobre bicicletas era puramente um exercício de autossatisfação pura, mas ele não quis ouvir. Retirou o artigo. Graças a Deus! Menos duas páginas para dobrar.

A *Voz da Juventude* chega amanhã a todas as turmas. Amanhã tenho de ir visitar o Bert.

QUARTA-FEIRA, 25 DE NOVEMBRO

Fomos atingidos por uma greve selvagem! A Sra. Claricoates, a secretária da escola, recusou-se a tratar d'A *Voz da Juventude*. Diz que não há nada na descrição dela que a obrigue a ocupar-se de revistas da escola.

A equipa de redação ofereceu-se para fazer ela própria as cópias, mas a Sra. Claricoates diz que só ela é que sabe «trabalhar com aquela maldita coisa». Estou desesperado. Seis horas inteiras de trabalho em vão!

QUINTA-FEIRA, 26 DE NOVEMBRO
Dia de Ação de Graças, EUA. Lua nova

O pai da Pandora está a fotocopiar A *Voz da Juventude* na empresa dele. Não queria, mas a Pandora fechou-se no quarto e recusou-se a comer enquanto ele não aceitasse fazer isso.

SEXTA-FEIRA, 27 DE NOVEMBRO

Hoje à hora do almoço estavam à venda no refeitório quinhentos exemplares d'*A Voz da Juventude*.

Ao fim da tarde foram guardados na arrecadação do ginásio quinhentos exemplares d'*A Voz da Juventude*. Não vendemos nem um! Nem um! Os meus colegas são todos uns ignorantes e uns idiotas!

Na segunda-feira vamos baixar o preço para vinte *pence*.

A minha mãe telefonou para falar com o meu pai. Eu disse-lhe que ele tinha ido para um fim de semana de pesca com a Sociedade dos Vendedores Excedentários de Caloríferos.

Chegou um postal dos correios a dizer que, se o meu pai não telefonar para lá até às cinco e meia, o nosso telefone é desligado.

SÁBADO, 28 DE NOVEMBRO

Um telegrama! Para mim! Da BBC? Não, da minha mãe:

ADRIAN STOP DE VOLTA A CASA STOP

O que é que ela quer dizer com «Stop de volta a casa»? Como é que eu posso «Stop de volta a casa»? Moro cá.

Cortaram o telefone! Estou a pensar fugir de casa.

DOMINGO, 29 DE NOVEMBRO
Primeiro domingo do Advento

A minha mãe acaba de aparecer sem avisar! Veio com as malas todas. Entregou-se à mercê do meu pai. O meu pai entregou-se ao corpo da minha mãe. Eu retirei-me discretamente para o meu quarto, onde estou agora a tentar perceber o que sinto com o regresso da minha mãe. No cômputo geral, estou mais do que feliz, mas estou preocupado com o que irá acontecer quando ela vir o nojo em que está a nossa casa. Vai ficar furiosa quando descobrir que emprestei o casaco de pele de raposa dela à Pandora.

SEGUNDA-FEIRA, 30 DE NOVEMBRO
Dia de Santo André

O meu pai e a minha mãe ainda estavam na cama quando saí para a escola.

Vendi um exemplar d'*A Voz da Juventude* ao Barry Kent. Ele queria descobrir a verdade sobre si próprio. É um leitor lento, por isso é provável que demore até sexta-feira para descobrir. Vamos experimentar descer o preço para quinze *pence* para tentar estimular a procura. Agora há quatrocentos e noventa e nove exemplares por vender!

O meu pai e a minha mãe estão outra vez na cama, e são nove da noite!

O cão está muito contente por a minha mãe ter voltado. Passou todo o dia a sorrir.

TERÇA-FEIRA, 1 DE DEZEMBRO

Telefonei para os correios e fingi que era o meu pai. Falei com uma voz muito grossa e disse uma data de mentiras. Disse que eu, George Mole, tinha estado três meses internado num manicómio e precisava do telefone para ligar para os Samaritanos, etc. A mulher que atendeu foi horrorosa, disse que estava farta de ouvir desculpas esfarrapadas de não-pagadores irresponsáveis. Disse que o telefone só voltava a ser ligado quando fosse feito o pagamento de duzentas e oitenta e nove libras e dezanove *pence* mais quarenta libras de taxa de ligação e mais quarenta libras de depósito!

Trezentas e sessenta e nove libras! Quando os meus pais saírem da cama e descobrirem a falta de sinal, estou feito!

QUARTA-FEIRA, 2 DE DEZEMBRO

O meu pai tentou hoje telefonar para uma oferta de emprego! Endoideceu.

A minha mãe limpou o meu quarto, levantou o colchão e descobriu as *Big and Bouncy* e a conta do telefone.

Fiquei sentado no banco da cozinha a ser interrogado por eles e a ouvir palavrões aos gritos. O meu pai queria dar-me a «sova da vida dele», mas a minha mãe deteve-o. Disse: «Era um castigo ainda maior obrigar o estúpido do miúdo a cuspir algum do dinheiro da conta-poupança dele.» Por isso é o que vou ter de fazer.

Agora é que nunca mais vou ser rico.

QUINTA-FEIRA, 3 DE DEZEMBRO

Levantei duzentas libras da minha conta. Não me importo de admitir que tinha lágrimas nos olhos. Vou demorar catorze anos a conseguir repô-las.

SEXTA-FEIRA, 4 DE DEZEMBRO
Quarto crescente

Estou a sofrer de depressão grave. É tudo culpa do pai da Pandora.
Devia ter passado as férias em Inglaterra.

SÁBADO, 5 DE DEZEMBRO

Recebi uma carta da minha avó a perguntar porque é que ainda não lhe tinha mandado um cartão de boas-festas.

DOMINGO, 6 DE DEZEMBRO
Segundo do Advento

Ainda estou a ser tratado como um criminoso. A minha mãe e o meu pai não me falam e não me deixam sair. Mais valia tornar-me delinquente.

SEGUNDA-FEIRA, 7 DE DEZEMBRO

Roubei um porta-chaves *Kevin Keegan* na loja do Sr. Cherry. Serve para prenda de Natal do Nigel.

TERÇA-FEIRA, 8 DE DEZEMBRO

Estou terrivelmente preocupado por causa do porta-chaves; hoje na escola tivemos aula de Moral e Ética.

QUARTA-FEIRA, 9 DE DEZEMBRO

Não consigo dormir por causa do porta-chaves. Os jornais estão cheios de histórias de velhinhas que vão dentro por roubarem em lojas. Tentei dar dinheiro a mais ao Sr. Cherry pelo meu chocolate *Mars*, mas ele chamou-me e deu-me o troco.

QUINTA-FEIRA, 10 DE DEZEMBRO

Sonhei que um guarda prisional estava a fechar-me numa cela na prisão. A grande chave de ferro estava presa a um porta-chaves *Kevin Keegan*.

A porcaria do nojo do sacana do telefone foi ligado!

SEXTA-FEIRA, 11 DE DEZEMBRO
Lua cheia

Telefonei aos Samaritanos e confessei o meu crime. O homem disse: «Então vai lá pô-lo outra vez, rapaz.» Amanhã vou fazer isso.

SÁBADO, 12 DE DEZEMBRO

O Sr. Cherry apanhou-me quando estava a restituir o porta-
-chaves. Escreveu uma carta aos meus pais. O melhor é
matar-me.

DOMINGO, 13 DE DEZEMBRO
Terceiro do Advento

Graças a Deus que não há correio aos domingos.

A minha mãe e o meu pai passaram um momento feliz
a fazer a árvore de Natal. Fiquei a vê-los pendurar as bolas
com um grande peso no coração.

Estou a ler o *Crime e Castigo*. É o livro mais verdadeiro
que alguma vez li.

SEGUNDA-FEIRA, 14 DE DEZEMBRO

Levantei-me às cinco da manhã para intercetar o carteiro.
Levei o cão a passear à chuva (ele queria ficar a dormir, mas
eu não deixei). O cão passou o caminho todo a resmungar e
a queixar-se, enquanto andámos à volta do quarteirão, por
isso acabei por deixá-lo voltar à sua caixa de cartão. Quem
me dera ser cão; não têm ética nem moral.

O carteiro entregou as cartas às sete e meia quando eu
estava na casa de banho. Sorte malvada!

O meu pai recebeu as cartas e pô-las por trás do relógio.
Dei-lhes uma olhadela rápida enquanto ele tossia com o

primeiro cigarro do dia. E lá estava uma dirigida aos meus pais com a letra iletrada do Sr. Cherry.

A minha mãe e o meu pai passaram uns minutos a lamber-se um ao outro e depois abriram as cartas enquanto os *Rice Krispies* deles ficavam todos empapados. Havia sete cartões de Natal sem graça nenhuma, que eles penduraram com uma fita por cima da lareira. Os meus olhos estavam focados na carta do Sr. Cherry. A minha mãe abriu-a, leu-a e disse: «George, o sacana do velho do Cherry mandou a conta dos jornais.» Depois comeram os *Rice Krispies* e acabou-se. Gastei uma data de adrenalina a preocupar-me. Se não tiver cuidado, ainda se acaba.

TERÇA-FEIRA, 15 DE DEZEMBRO

A minha mãe contou-me porque é que deixou o nojento do Lucas e voltou para o meu pai. Disse: «O Bimbo tratava--me como um objeto sexual, Adrian, e queria o jantar feito, e cortava as unhas dos pés na sala, e além disso eu gosto muito do teu pai.» Não falou de mim.

QUARTA-FEIRA, 16 DE DEZEMBRO

Vou entrar numa peça experimental de Natal na escola. Chama-se *Da Manjedoura à Estrela*. Vou fazer de José. A Pandora vai fazer de Maria. O Menino Jesus vai ser feito pelo miúdo mais pequeno do primeiro ano. Chama-se Peter Brown. Droga-se para ficar mais alto.

QUINTA-FEIRA, 17 DE DEZEMBRO

Outra carta da BBC!

Caro Adrian Mole,

Obrigado por ter enviado o seu mais recente poema. Percebi-o perfeitamente, depois de ter sido passado à máquina. Contudo, Adrian, perceber não é tudo. O nosso Departamento de Poesia está inundado de poemas sobre o outono. O cheiro de fogueiras e o estalar de folhas já invadiram os corredores. Foi uma boa tentativa, mas tente outra vez, está bem?

Com os melhores cumprimentos,

John Tydeman

«Tente outra vez»! Isto é praticamente uma encomenda. Escrevi-lhe a responder:

Caro Sr. Tydeman,

Quanto é que eu recebo se transmitirem um dos meus poemas na rádio? Quando querem que o envie? Qual o tema que pretendem que aborde? Posso ser eu próprio a lê-lo? Avançam-me o dinheiro para o bilhete do comboio? A que horas é que vai para o ar? Tenho de estar na cama às dez.

Atenciosamente,

A. Mole

P. S. Espero que tenha um Natal do melhor.

SEXTA-FEIRA, 18 DE DEZEMBRO
Quarto minguante

O ensaio de hoje de *Da Manjedoura à Estrela* foi um fiasco. O Peter Brown cresceu de mais para a caminha de palha, por isso o Sr. Animba, o professor de Trabalhos Manuais, vai ter de fazer outra.

O Sr. Scruton sentou-se ao fundo do ginásio a ver os ensaios. Ficou pálido como o lado norte do Eiger quando chegámos à parte em que os três Reis Magos foram chamados porcos capitalistas.

Levou a Sra. Elf para os balneários e tiveram uma «conversa calma». Ouvimos todas as palavras que ele gritou. Disse que queria uma peça de Natal tradicional, com um bebé-chorão a fazer de Menino Jesus e três Reis Magos de roupão e com panos da loiça na cabeça. Ameaçou cancelar a peça se Maria, aliás Pandora, voltasse a entrar em trabalho de parto simulado por cima da manjedoura. É típico do Scruton, ele não passa de uma pessoa de vistas curtas, um provinciano, sexualmente inibido, porco fascista. Não sei como é que ele chegou a reitor. Já usa o mesmo fato puído verde há três anos. Como é que vamos conseguir mudar tudo agora? A peça vai ser apresentada na terça--feira à tarde.

A minha mãe recebeu um cartão de boas-festas do nojento do Lucas! Lá dentro ele escreveu: «Paulie, ficaste com o talão de lavandaria do meu melhor fato, o branco? Estão a levantar muitos problemas na Sketchley.» A minha mãe ficou muito perturbada. O meu pai telefonou para Sheffield e ordenou ao Lucas que pusesse fim às comunicações ou arriscar-se-ia a ficar com um bocado de aço de Sheffield entre as suas costelas de porco. O meu pai estava com um ar impecável ao telefone. Tinha um cigarro entalado entre os lábios. A minha mãe estava encostada ao frigorífico. Tinha um cigarro na mão. Estavam um bocado parecidos com o Humphrey Bogart e a Lauren Bacall no postal que eu tenho na parede do meu quarto. Quem me dera ser filho de um verdadeiro *gangster*, pelo menos a vida tinha alguma ação.

SÁBADO, 19 DE DEZEMBRO

Não tenho dinheiro para as prendas de Natal. Mas de qualquer maneira fiz a minha lista, para o caso de encontrar dez libras na rua.

Pandora — Frasco grande de *Chanel N.º 5* (*1,50 £*)

Mãe — Relógio para cozer ovos (75 p)

Pai — Marcador de livros (38 p)

Avó — Embalagem de panos de cozinha (45 p)

Cão — Chocolates para cão (45 p)

Bert — 20 *Woodbines* (95 p)

Tia Susan — Caixa de creme *Nivea* (60 p)

Sabre — Caixa de *Bob Martins*, pequena (39 p)

Nigel — Lata familiar de *Maltesers* (34 p)

Sra. Elf — Luva de forno (feita em casa)

DOMINGO, 20 DE DEZEMBRO
Quarto do Advento

Eu e a Pandora fizemos um ensaio particular dos papéis de Maria e José no meu quarto. Improvisámos uma cena impecável em que a Maria chega a casa depois de ter ido à consulta de planeamento familiar e diz ao José que está grávida. Interpretei o José como o Marlon Brando em *Um Elétrico Chamado Desejo*. A Pandora interpretou a Maria mais ou menos como a Blanche Dubois. Foi o máximo até o meu pai se queixar por causa dos gritos. O cão tinha de fazer de burro e de vaca, mas não ficava quieto tempo suficiente para fazer o cenário.

Depois do lanche, a minha mãe disse por acaso que ia levar o casaco de pele de raposa ao concerto da escola amanhã. Choque! Horror! Fui imediatamente a casa da Pandora para ir buscar a porcaria do casaco, mas a mãe da Pandora pediu-lho emprestado para o levar ao jantar e baile de Natal dos Conselheiros Matrimoniais! A Pandora disse que não tinha percebido que o casaco era apenas um empréstimo, pensava que era uma prenda de amante! Como é que um estudante de catorze anos e três quartos podia ter dinheiro para um casaco de pele de raposa? Quem é que a Pandora pensa que eu sou, um milionário como o Freddie Laker?

A mãe da Pandora só volta de manhã, por isso vou ter de ir lá antes da escola e voltar a casa para o tentar meter na capa de plástico sem ninguém ver. Vai ser difícil, mas nada na minha vida é simples ou íntegro. Sinto-me como um personagem de um romance russo metade do meu tempo.

SEGUNDA-FEIRA, 21 DE DEZEMBRO

Acordei em pânico porque vi que eram oito e um quarto no relógio digital da mesa de cabeceira! As minhas paredes pretas pareciam estranhamente luminosas e brilhantes; bastou-me olhar lá para fora para confirmar as minhas suspeitas de que a neve cobria tudo como um tapete branco.

Fui aos tropeções pela neve até casa da Pandora com as botas de pesca do meu pai, mas não havia nenhum ser humano lá em casa. Olhei pela ranhura da caixa do correio e vi o casaco de pele de raposa da minha mãe a ser atirado de um lado para o outro pelo gato da Pandora. Chamei-lhe uma data de nomes, mas o estúpido do gato malcheiroso fez um ar de gozo e continuou a arrastar o casaco pela casa. Não tive outra hipótese se não arrombar a porta da casa da máquina de lavar com uma carga de ombro, correr até à sala e salvar o casaco da minha mãe. Vim-me embora rapidamente (o mais rapidamente que se consegue com umas botas de pesca pelas coxas, quatro tamanhos acima). Vesti o casaco de pele para me aquecer durante a acidentada viagem até casa. Estive quase a perder-me na esquina da Ploughman Avenue com a Shepherd Crook, mas consegui abrir caminho por entre a neve que caía até ver finalmente a paisagem familiar das garagens pré-fabricadas da nossa rua.

Caí na cozinha em estado de hipotermia e exaustão aguda; a minha mãe estava a fumar um cigarro e a fazer tartes de carne picada. Gritou: «Que raio andas tu a fazer com o meu casaco de pele de raposa vestido?» Não foi simpática, nem se preocupou, nem fez nenhuma das coisas que as mães devem fazer. Pôs-se a sacudir a neve do casaco e a secá-lo com o secador de cabelo. Nem sequer se ofereceu para me fazer uma bebida quente ou coisa do género. Disse: «Têm estado a dizer na rádio que não há escola por causa da neve, por isso podes fazer qualquer coisa de útil e ir ver se as camas de campismo têm ferrugem. Os Sugden vêm cá passar o Natal.» Os Sugden! A família da minha mãe de Norfolk! Que horror, que horror. Os primos casaram todos com primos e nem sequer sabem falar como deve ser!

Telefonei à Pandora a explicar o que tinha acontecido com o casaco de pele e os estragos, etc., mas ela tinha ido fazer esqui na rampa atrás da padaria. O pai da Pandora pediu-me para desimpedir a linha porque tinha de telefonar urgentemente para a polícia. Disse que tinha acabado de chegar e descoberto que tinham arrombado a casa! Disse que a casa estava toda destruída (deve ter sido o gato, eu fui muito cuidadoso), mas que felizmente a única coisa que tinha desaparecido era um casaco velho de pele de raposa que a Pandora tinha posto a forrar o cesto do gato.

Desculpa, Pandora, mas esta foi a gota que fez transbordar o cálice! Podes arranjar outro José, eu recuso-me a partilhar o palco com uma rapariga que põe o conforto do gato à frente de um problema do namorado.

TERÇA-FEIRA, 22 DE DEZEMBRO

A escola estava fechada hoje de manhã porque os professores não conseguiram chegar a tempo por causa da neve. É para aprenderem a não viver em moinhos no campo! A Sra. Elf vive com um tipo das Índias Ocidentais numa casa da cidade, por isso apareceu corajosamente para preparar o concerto da escola, à tarde. Decidi perdoar à Pandora o incidente do casaco de pele no cesto do gato quando ela me contou que o gato é uma gata e está grávida.

O concerto da escola não foi um sucesso. O toque dos sinos da turma 1-G durou tempo de mais, o meu pai disse: «Os sinos! Os sinos!», e a minha mãe riu-se demasiado, fazendo com que o Sr. Scruton olhasse para ela.

A orquestra da escola foi um desastre! A minha mãe disse: «Quando é que eles acabam de afinar os instrumentos e começam a tocar?» Eu disse-lhe que eles tinham acabado de tocar um concerto para trompa de Mozart. Isso fez com que a minha mãe e o meu pai e os pais da Pandora começassem a rir-se de uma maneira muito pouco educada. Quando a baleia da Alice Bernard do 3-C entrou no palco com um *tutu* e começou a dançar o *Lago dos Cisnes* pensei que a minha mãe ia explodir. A mãe da Alice Bernard foi a primeira pessoa a bater palmas, mas não houve muita gente a acompanhá-la.

A turma Dumbo levantou-se e cantou alguns cânticos de Natal chatíssimos. O Barry Kent cantou todas as versões ordinárias (sei porque estive a observar os lábios dele), depois sentaram-se de pernas cruzadas e o «Cérebro» Henderson do 5-K tocou trompete, harpa, piano e guitarra. O sacana estava com um ar de superioridade quando se inclinou para agradecer os aplausos. Depois foi o intervalo e eu fui vestir a minha *T-shirt* e as calças de ganga para fazer de José. A tensão nos bastidores era eletrizante. Fiquei na coxia (é um termo teatral — quer dizer o lado do palco) e vi o público a regressar aos seus lugares. Depois a música dos *Encontros Imediatos* irrompeu nas colunas, e as cortinas abriram-se revelando uma manjedoura abstrata. Só tive tempo de sussurrar à Pandora: «Parte uma perna, querida», antes de a Sra. Elf nos empurrar para as luzes. A minha interpretação foi brilhante! Pus-me mesmo na pele do José, mas a Pandora não foi tão bem, esqueceu-se de olhar ternamente para o Jesus/Peter Brown.

Os três Reis Magos/*punks* fizeram demasiado barulho com as correntes e estragaram o meu discurso sobre a situação no Médio Oriente, e os anjos que representavam a Sra. Thatcher foram assobiados tão alto pela assistência que o coro falado deles sobre o desemprego perdeu-se completamente.

Mesmo assim, a peça foi bem recebida pelo público. O Sr. Scruton levantou-se e fez um discurso hipócrita sobre «uma experiência corajosa» e «o trabalho incansável da Sra. Elf por trás da peça», e depois cantámos juntos «A todos um bom Natal»!

Quando íamos de carro para casa, o meu pai disse: «Foi a peça de Natal mais divertida a que já assisti. De quem é que foi a ideia de a transformar numa comédia?» Não respondi. Não era uma comédia.

QUARTA-FEIRA, 23 DE DEZEMBRO

9 da manhã. Só me restam dois dias para fazer as compras de Natal e continuo liso. Fiz uma luva com o *Blue Peter* para a Sra. Elf, mas para lha dar antes do Natal vou ter de entrar no gueto e arriscar-me a ser assaltado.

Tenho de ir para a rua cantar cânticos de Natal, não há mais nada que possa fazer para arranjar financiamento.

10 da noite. Acabei de chegar dos cânticos de Natal. As casas dos arredores foram um desperdício total. As pessoas gritavam «Volta no Natal», sem sequer abrirem a porta. O público que mais me apreciou foram os bêbedos que estavam a entrar e a sair do Black Bull. Alguns deles choraram com o meu solo de «Noite Feliz, Noite de Paz». Devo dizer que era uma imagem comovente ver-me sobre a neve com o meu rosto de jovem erguido para o céu, ignorando o regabofe dos bêbedos à minha volta.

Arranjei três libras e meia mais dez *pence* irlandeses e uma carica de *Guinness*. Amanhã torno a fazer o mesmo. Vou levar o meu uniforme da escola, devo arranjar mais umas coroas.

QUINTA-FEIRA, 24 DE DEZEMBRO

Fui ao lar levar os *Woodbines* ao Bert. Está magoado comigo porque não tenho ido visitá-lo. Disse que não quer passar o Natal com um bando de velhas de má-língua. Ele e a Queenie estão a causar um escândalo. Estão não-oficialmente noivos.

Gravaram os dois nomes no mesmo cinzeiro. Convidei o Bert e a Queenie para a consoada. A minha mãe ainda não sabe, mas tenho a certeza de que ela não se importa, temos um peru grande. Cantei alguns cânticos para as velhotas. Ganhei duas libras e onze *pence* com elas e então fui ao Woolworth's comprar o *Chanel N.º 5* para a Pandora. Não havia, por isso comprei-lhe um desodorizante.

A casa está limpa e a brilhar e há um cheiro mágico no ar a comida e a tangerinas. Procurei os meus presentes pela casa, mas não estão nos sítios do costume. Quero uma bicicleta de corrida, nada mais me vai fazer ficar contente. Já está na altura de eu ter independência para me deslocar.

11 da noite. Acabei de chegar do Black Bull. A Pandora foi comigo, levámos os uniformes da escola e os bêbedos lembraram-se todos dos filhos deles. Arrotaram com doze libras e cinquenta e sete *pence*! Agora vamos ver uma peça no dia a seguir ao Natal e vamos comer um chocolate familiar *Dairy Milk* da Cadbury's cada um!

SEXTA-FEIRA, 25 DE DEZEMBRO
Dia de Natal

Levantei-me às cinco da manhã para dar uma volta na minha bicicleta de corrida. O meu pai pagou-a com o American Express. Não pude ir muito longe por causa da neve, mas não fez mal. Adoro olhar para ela. O meu pai escreveu no cartão que vinha preso ao guiador: «Desta vez não a deixes à chuva» — como se eu fosse fazer isso!

Os meus pais estavam com grandes ressacas, por isso levei-lhes o pequeno-almoço à cama. A minha mãe ficou felicíssima com o relógio para os ovos e o meu pai ficou igualmente encantado com o marcador para os livros. Estava tudo a correr bem até eu dizer que tinha convidado o Bert e a Queenie para almoçarem connosco, e pedir ao meu pai se não se importava de se levantar e ir buscá-los de carro.

A discussão continuou até chegarem os chatos dos Sugden. A minha avó e o meu avô Sugden e o tio Dennis e a mulher dele, a Marcia, e o filho deles, o Maurice, são todos iguaizinhos, como se fossem a funerais todos os dias. Custa-me a acreditar que a minha mãe seja da família deles. Os Sugden recusaram-se a tomar uma bebida e beberam chá enquanto a minha mãe descongelava o peru na banheira. Eu ajudei o meu pai a carregar com a Queenie (noventa e cinco quilos) e com o Bert (oitenta e oito quilos) do carro até casa. A Queenie é uma daquelas velhotas vistosas que pintam o cabelo para parecerem mais novas. O Bert está apaixonado por ela. Disse-me quando eu o ajudei a ir à casa de banho.

A avó Mole e a tia Susan apareceram ao meio-dia e meia e fingiram que gostam dos Sugden. A tia Susan contou algumas histórias engraçadas sobre a vida na prisão, mas ninguém se riu além de mim e do meu pai e do Bert e da Queenie.

Fui lá acima à casa de banho e dei com a minha mãe a chorar e a pôr o peru debaixo da torneira da água quente.

Disse: «Esta porcaria não quer descongelar, Adrian. O que é que eu hei de fazer?» Eu disse-lhe: «Atire com isso para dentro do forno e pronto.» Foi isso mesmo que ela fez.

Sentámo-nos para o almoço de Natal com quatro horas de atraso. Nessa altura já o meu pai estava bêbedo de mais para comer. Os Sugden gostaram do discurso da rainha, mas foi a única coisa que pareceu agradar-lhes. A avó Sugden deu-me um livro chamado *Histórias da Bíblia para Rapazes*. Não fui capaz de lhe dizer que tinha perdido a fé, por isso agradeci e fiz um sorriso amarelo durante tanto tempo que até me fez doer.

Os Sugden foram para as camas de campismo às dez da noite. O Bert, a Queenie, o meu pai e a minha mãe estiveram a jogar às cartas enquanto eu puxava o brilho à minha bicicleta. Estivemos todos muito divertidos a dizer piadas sobre os Sugden. Depois o meu pai foi levar a Queenie e o Bert ao lar e eu telefonei para a Pandora e disse-lhe que a amava mais do que à própria vida.

Amanhã vou lá a casa para lhe dar o desodorizante e buscá-la para irmos ver a peça.

SÁBADO, 26 DE DEZEMBRO
Feriado no Reino Unido e na República da Irlanda (pode ser dado um dia noutra data). Lua nova

Os Sugden levantaram-se às sete da manhã e sentaram-se na sala com os seus melhores fatos e um ar muito respeitável. Eu fui passear na minha bicicleta. Quando voltei a minha mãe ainda estava na cama, e o meu pai estava a discutir com o avô Sugden por causa do comportamento do nosso cão, por isso fui dar mais uma volta. Fui a casa da avó Mole, comi quatro fatias de tarte e depois voltei para casa. Cheguei quase a dar cinquenta quilómetros por hora na estrada de duas faixas, foi o máximo. Vesti o meu casaco de camurça novo e as calças de veludo (cortesia do Barclaycard do meu pai) e fui visitar a Pandora; ela deu-me um frasco de *after-shave* de prenda de Natal. Foi um momento de grande orgulho para mim, significou *O Fim da Infância*. Gostámos da peça, mas era um bocado infantil para o nosso gosto. O Bill Ash e a Carole Hayman foram bem no papel de Aladino e de Princesa, mas os ladrões interpretados pelo Jeff Teare e pelo Ian Giles foram melhores. A Sue Pomeroy teve uma interpretação hilariante como Viúva Twankey e contou com uma grande ajuda da vaca, interpretada pelo Chris Martin e pelo Lou Wakefield.

DOMINGO, 27 DE DEZEMBRO
Primeiro depois do Natal

Os Sugden voltaram para Norfolk, graças a Deus!

A casa voltou à confusão habitual. Os meus pais levaram uma garrafa de vodca e dois copos para a cama ontem à noite. Não os vejo desde essa altura.

Fui a Melton Mowbray na minha bicicleta, fiz o percurso em cinco horas.

SEGUNDA-FEIRA, 28 DE DEZEMBRO

Estou metido em apuros por ter deixado a bicicleta lá fora esta noite. Os meus pais não falam comigo. Não quero saber. Acabei de fazer a barba e sinto-me mágico.

TERÇA-FEIRA, 29 DE DEZEMBRO

O meu pai está de mau humor porque já só há uma garrafa de xerez *VP* para beber cá em casa. Foi a casa da Pandora para ver se lhe emprestavam uma garrafa de aguardente.

O cão deitou a árvore de Natal abaixo e as agulhas de pinheiro ficaram todas espetadas na carpete.

Já acabei todos os meus livros de Natal e a biblioteca ainda está fechada. Só me resta ler as *Reader's Digest* do meu pai e testar o meu vocabulário.

QUARTA-FEIRA, 30 DE DEZEMBRO

Os balões estão todos murchos. Parecem os peitos das velhas que aparecem nos documentários da televisão sobre o Terceiro Mundo.

QUINTA-FEIRA, 31 DE DEZEMBRO

O último dia do ano! Aconteceu muita coisa. Apaixonei-me. Fui filho de uma família monoparental. Tornei-me Intelectual. E recebi duas cartas da BBC. Nada mau para um rapaz de catorze anos e três quartos!

A minha mãe e o meu pai foram a um baile de fim de ano no Grand Hotel. A minha mãe até vestiu um vestido! Há mais de um ano que não mostrava as pernas em público.

Eu e a Pandora entrámos no Ano Novo juntos, tivemos uma sessão brutalmente apaixonada, acompanhados pelo Andy Stewart e por um homem a tocar gaita de foles.

O meu pai entrou aos tombos pela porta à uma da manhã com uma pedra de carvão na mão. Bêbedo como de costume.

A minha mãe começou com uma conversa de que eu era um filho maravilhoso e que gostava muito de mim. É uma pena ela nunca dizer coisas assim quando está sóbria.

INVERNO

SEXTA-FEIRA, 1 DE JANEIRO
Feriado no Reino Unido, República da Irlanda, EUA e Canadá

São estas as minhas resoluções de Ano Novo:

1. Vou ser fiel à Pandora.
2. Vou guardar a minha bicicleta à noite.
3. Não vou ler livros que não prestem.
4. Vou estudar muito para os exames e ter cinco a tudo.
5. Vou tentar ser melhor para o cão.
6. Vou tentar do fundo do coração perdoar ao Barry Kent pelos seus muitos pecados.
7. Vou limpar a banheira depois de a usar.
8. Vou deixar de me preocupar com o tamanho da minha coisa.
9. Vou fazer os meus exercícios para as costas todas as noites sem falta.
10. Vou aprender todos os dias uma palavra nova e usá-la.

SÁBADO, 2 DE JANEIRO
Feriado na Escócia (pode ser dado um dia noutra data)

Que interessante aabec ser a casca de uma árvore australiana utilizada para fazer suar.

DOMINGO, 3 DE JANEIRO
Segundo depois do Natal. Quarto crescente

Não me importava de ir a África caçar um aardvark.

SEGUNDA-FEIRA, 4 DE JANEIRO

Quando estivesse em África ia para sul à procura de um aardwolf.

TERÇA-FEIRA, 5 DE JANEIRO

E evitava meter-me com um aasvogel.

QUARTA-FEIRA, 6 DE JANEIRO
Epifania

Ando com pesadelos por causa da bomba. Espero que não seja lançada antes de saírem os resultados dos meus exames em agosto de 1983. Não gostava de morrer virgem e sem habilitações.

QUINTA-FEIRA, 7 DE JANEIRO

O Nigel veio cá a casa para ver a minha bicicleta de corrida. Disse que era feita em série, ao contrário da dele, que era «feita por um artesão de Nottingham». Fartei-me do Nigel e passei a gostar um bocadinho menos da minha bicicleta.

SEXTA-FEIRA, 8 DE JANEIRO

Recebi um convite para o casamento da Queenie e do Bert, vão-se casar a 16 de janeiro no Registo Civil de Pocklington Street.

Cá para mim é uma perda de tempo. O Bert tem quase noventa anos e a Queenie tem quase oitenta. Só vou comprar o presente de casamento mesmo à última hora.

Começou a nevar outra vez. Pedi à minha mãe para me comprar umas botas de borracha verdes como as da rainha, mas ela chegou com umas pretas normalíssimas. Só preciso delas para acompanhar a Pandora até ao nosso portão. Vou ficar em casa até a neve derreter. Ao contrário da maioria dos jovens da minha idade, não gosto de andar às cabriolas na neve.

SÁBADO, 9 DE JANEIRO
Lua cheia

O Nigel disse que o mundo vai acabar hoje à noite. Disse que vai haver um colapso total da Lua. (O Nigel devia ler a *Reader's Digest* para aumentar o seu vocabulário.) Foi verdade que ficou tudo escuro, sustive a respiração e temi o pior, mas depois a Lua recuperou e a vida continuou normalmente, a não ser em York, onde o destino fez inundar o centro da cidade.

DOMINGO, 10 DE JANEIRO
Primeiro depois da Epifania

Não percebo como é que o meu pai parece tão velho com quarenta e um anos em comparação com o presidente Reagan aos setenta. O meu pai não tem trabalho nem preocupações e no entanto parece terrivelmente cansado. Coitado do presidente Reagan, tem de arcar com a segurança do mundo sobre os ombros e mesmo assim está sempre a sorrir e alegre. Não faz sentido.

SEGUNDA-FEIRA, 11 DE JANEIRO

Estive a ver o diário do ano passado e lembrei-me de que o Malcolm Muggeridge nunca respondeu à minha carta sobre o que se deve fazer quando se é um intelectual. Ou seja, um selo de correio desperdiçado! Devia ter escrito para o Museu Britânico, que é onde costumam andar todos os intelectuais.

TERÇA-FEIRA, 12 DE JANEIRO

Eu e a Pandora fomos ao Clube Juvenil hoje à noite. Foi o máximo. O Rick Lemon conduziu uma discussão sobre sexo. Ninguém disse nada, mas ele mostrou uns *slides* interessantes de úteros cortados ao meio.

QUARTA-FEIRA, 13 DE JANEIRO

Os pais da Pandora tiveram uma grande discussão. Estão a dormir em quartos separados. A mãe da Pandora entrou para o Partido Social-Democrata e o pai da Pandora mantém-se fiel ao Partido Trabalhista.

A Pandora é liberal, por isso dá-se bem com os dois.

QUINTA-FEIRA, 14 DE JANEIRO

O pai da Pandora admitiu finalmente que é de extrema--esquerda. A Pandora vai manter-se fiel ao pai, mas se souberem no trabalho dele está arrumado.

SEXTA-FEIRA, 15 DE JANEIRO

Graças a Deus que a neve está a derreter! Finalmente posso andar pelas ruas em segurança, com a certeza de que ninguém me vai enfiar uma bola de neve pelas costas do anoraque.

SÁBADO, 16 DE JANEIRO
Quarto minguante

O Bert casou-se hoje.

O Alderman Cooper Sunshine Home alugou uma camioneta e levou as velhinhas todas para fazerem uma guarda de honra com as bengalas.

O Bert estava mesmo com bom aspeto. Levantou o dinheiro do seguro de vida e comprou um fato novo. A Queenie levava um chapéu feito de flores e frutos. Tinha uma camada enorme de pó cor de laranja na cara para tentar disfarçar as rugas. Até o *Sabre* tinha um laço encarnado à volta do pescoço. Acho que foi simpático da parte da Sociedade Protetora dos Animais deixarem sair o *Sabre* para ir ao casamento do dono. O meu pai e o pai da Pandora carregaram a cadeira de rodas do Bert pelas escadas acima com o Bert ainda solteiro e depois para baixo com o Bert já casado. As velhinhas atiraram arroz e papelinhos e a minha mãe e a mãe da Pandora deram um beijinho à Queenie e uma ferradura para dar sorte.

Um repórter e um fotógrafo de um jornal obrigaram toda a gente a posar para as fotografias. Perguntaram-me o nome, mas eu disse que não queria publicidade pelos meus atos de caridade para com o Bert. O copo-d'água foi no lar. A diretora fez um bolo com um «B» e um «Q» escritos com *Smarties*. O Bert e a Queenie vão mudar-se para um bangaló na segunda-feira, depois de passarem a lua de mel no lar.

Lua de mel! Ah! Ah! Ah!

DOMINGO, 17 DE JANEIRO
Segundo depois da Epifania

Ontem à noite sonhei com um rapaz parecido comigo a apanhar pedrinhas à chuva. Foi um sonho estranho à brava.

Estou a ler *O Príncipe Negro*, de Iris Murdoch. Só consigo perceber uma palavra em cada dez. A partir de agora é uma das minhas ambições gostar mesmo de um livro dela. Nessa altura terei a certeza de que estou acima do rebanho.

SEGUNDA-FEIRA, 18 DE JANEIRO

Escola. Primeiro dia do período. Montes de trabalhos de casa. Nunca irei conseguir. Sou um intelectual mas ao mesmo tempo não sou muito esperto.

TERÇA-FEIRA, 19 DE JANEIRO

Trouxe quatrocentos e oitenta e três exemplares d'*A Voz da Juventude* para casa na mochila e no saco *Adidas*. O Sr. Jones precisa do armário do ginásio.

QUARTA-FEIRA, 20 DE JANEIRO

Duas horas e meia de trabalhos de casa! Não vou aguentar esta pressão.

QUINTA-FEIRA, 21 DE JANEIRO

Dói-me o cérebro. Acabei de traduzir duas páginas do *Macbeth* para inglês.

SEXTA-FEIRA, 22 DE JANEIRO

Estou destinado a vir a ser um trabalhador braçal. Não consigo continuar a trabalhar debaixo desta pressão. A Sra. Elf diz que o meu trabalho é perfeitamente satisfatório, mas isso não é suficiente para mim quando a Pandora está sempre a ter «Excelente» escrito a vermelho em tudo o que faz.

SÁBADO, 23 DE JANEIRO

Fiquei na cama até às cinco e meia para ter a certeza de que não ia ao Sainsbury's. Ouvi uma peça na Rádio Quatro sobre a infelicidade doméstica. Telefonei à Pandora. Fiz os trabalhos de casa de Geografia. Chateei o cão. Dormi. Acordei. Preocupei-me durante dez minutos. Levantei-me. Fiz chocolate quente.

Estou com os nervos em franja.

DOMINGO, 24 DE JANEIRO
Terceiro depois da Epifania

A minha mãe culpa a Iris Murdoch pelo meu estado de nervos. Disse que não se devia ler sobre problemas de adolescência enquanto se está a estudar para os exames.

SEGUNDA-FEIRA, 25 DE JANEIRO
Lua nova

Não consegui fazer o trabalho de casa de Matemática. Telefonei aos Samaritanos. O homem simpático que atendeu disse-me que a resposta era nove oitavos. Foi mesmo bondoso para uma pessoa desesperada.

TERÇA-FEIRA, 26 DE JANEIRO

O estúpido do Samaritano deu-me a resposta errada! Eram só sete quintos. Só acertei seis em vinte. A Pandora teve tudo certo. Teve cem por cento.

QUARTA-FEIRA, 27 DE JANEIRO

A minha mãe está a fazer as reuniões dos direitos da mulher na nossa sala. Não consigo concentrar-me a fazer os trabalhos de casa com mulheres a rir, a gritar e a correr pela escada acima. Não são nada femininas.

QUINTA-FEIRA, 28 DE JANEIRO

Tive quinze em vinte a História. A Pandora teve vinte e um em vinte. Teve um valor extra por saber o nome do pai do Hitler.

SEXTA-FEIRA, 29 DE JANEIRO

Vim para casa mais cedo com uma enxaqueca terrível (faltei ao teste de Religião Comparada). Dei com o meu pai a ver o *Play School* e a fingir que era uma bolota a transformar-se em carvalho.

Fui para a cama demasiado chocado para falar.

SÁBADO, 30 DE JANEIRO

Enxaqueca. Demasiado doente para escrever.

DOMINGO, 31 DE JANEIRO
Quarto depois da Epifania

A Pandora veio cá. Copiei o trabalho de casa por ela. Sinto-
-me melhor.

SEGUNDA-FEIRA, 1 DE FEVEREIRO
Quarto crescente

A minha mãe fez um ultimato ao meu pai: ou ele arranja trabalho, ou começa a ajudar em casa, ou se vai embora.

Ele anda à procura de emprego.

TERÇA-FEIRA, 2 DE FEVEREIRO
Festa da Purificação da Virgem (feriado na Escócia)

A avó Mole veio cá para dizer que anunciaram o fim do
mundo na Igreja Espiritualista dela a semana passada. Disse
que devia ter acabado ontem.

Ela era para ter vindo mais cedo, mas esteve a lavar as
cortinas.

QUARTA-FEIRA, 3 DE FEVEREIRO

Tiraram os cartões de crédito ao meu pai! O Barclays, o
Nat West e o American Express fartaram-se das despesas
descontroladas dele. Estamos a ficar sem tempo. Já só tem
umas libras do dinheiro do subsídio na gaveta das meias.

A minha mãe está a tentar arranjar um emprego.

Tenho uma sensação de *déjà-vu*.

QUINTA-FEIRA, 4 DE FEVEREIRO

Fui visitar a Queenie e o Bert. O bangaló está tão cheio de quinquilharia que quase não há espaço para uma pessoa se mexer. O *Sabre* deita pelo menos dez coisas ao chão de cada vez que dá ao rabo. Parecem ambos bastante felizes, embora a vida sexual deles não deva ser grande coisa.

SEXTA-FEIRA, 5 DE FEVEREIRO

Tenho de escrever uma redação sobre as causas da Segunda Guerra Mundial. Que perda de tempo! Toda a gente sabe quais foram as causas. Não se pode ir a lado nenhum sem ver a fotografia do Hitler.

SÁBADO, 6 DE FEVEREIRO

Acabei a redação. Copiei-a da *Pears Encyclopedia*.

A minha mãe foi a um *workshop* de autodefesa para mulheres. Portanto, se o meu pai resmungar por ela queimar as torradas, ela pode dar-lhe um golpe de caraté na traqueia.

DOMINGO, 7 DE FEVEREIRO
Septuagésima

Que dia tão chato. Os meus pais nunca fazem nada ao domingo a não ser ler os jornais de domingo. Outras famílias vão a parques de safari, etc. Mas nós não.

Quando for pai vou encher os meus filhos de estímulos aos fins de semana.

SEGUNDA-FEIRA, 8 DE FEVEREIRO
Lua cheia

A minha mãe arranjou um emprego. Recolhe o dinheiro das máquinas de vídeo dos *Space Invaders*. Começou hoje em resposta a um telefonema urgente da agência de empregos onde ela se tinha inscrito.

Ela disse que as máquinas que têm mais dinheiro são as dos cafés pouco respeitáveis e as das residências universitárias.

Acho que a minha mãe está a trair os seus princípios. Está a encorajar uma obsessão nos espíritos fracos.

TERÇA-FEIRA, 9 DE FEVEREIRO

A minha mãe desistiu do emprego. Disse que tinha sido vítima de assédio sexual no trabalho e que também é alérgica a moedas de dez *pence*.

QUARTA-FEIRA, 10 DE FEVEREIRO

O meu pai vai abrir um negócio a fazer prateleiras para especiarias. Gastou o resto do dinheiro do subsídio a comprar madeira e cola. O nosso quarto de hóspedes foi transformado numa oficina. Há serradura por toda a casa.

Estou muito orgulhoso do meu pai. Agora é diretor de uma empresa, e eu sou filho do diretor de uma empresa!

QUINTA-FEIRA, 11 DE FEVEREIRO

Depois das aulas fui entregar o gigantesco armário das especiarias do Sr. Singh. Tivemos de ser dois para conseguir levar aquilo e deixá-lo montado na parede da cozinha. Bebemos um chá indiano nojento e depois a Sra. Singh pagou ao meu pai e começou a encher as prateleiras com especiarias exóticas indianas. Tinham um aspeto muito mais interessante do que a porcaria da salsa e do tomilho da minha mãe.

O meu pai comprou uma garrafa de champanhe para festejar a primeira venda! Não tem respeito nenhum pelo capital investido.

SEXTA-FEIRA, 12 DE FEVEREIRO

A Pandora foi a Londres com o pai ouvir o Tony Benn falar. A mãe da Pandora foi a um comício do PSD em Loughborough. É triste uma família ser separada pela política.

Não tenho a certeza de como é que vou votar. Às vezes acho que a Sra. Thatcher até é simpática. Depois no dia a seguir vejo-a na televisão e fico aterrorizado com ela. Tem olhos de assassina psicótica, mas uma voz de pessoa simpática. É um bocado confuso.

SÁBADO, 13 DE FEVEREIRO

A Pandora tem um fraquinho pelo Tony Benn, tal como teve pelo Adam Ant. Diz que os homens mais velhos são excitantes.

Estou a tentar deixar crescer o bigode. Amanhã é dia de São Valentim. Hoje chegou um grande cartão com carimbo de Sheffield.

DOMINGO, 14 DE FEVEREIRO
Sexagésima. Dia de São Valentim

Finalmente recebi um cartão de São Valentim de alguém que não é da minha família! O cartão da Pandora era encantador, ela escreveu uma simples mensagem de amor:

Adrian, és tu e só tu.

Eu dei à Pandora uma imitação de um cartão vitoriano e lá dentro escrevi:

> Meu jovem amor,
> Cabelos de mel e meias pelo joelho
> Pões-me o sistema num frangalho.
> Tens uma figura mágica:
> Eu sou o Roy Rogers e tu és o Gatilho.

Não rima muito bem, mas eu estava com pressa. A Pandora não percebeu a referência literária ao Roy Rogers, por isso emprestei-lhe os livros de banda desenhada antigos do meu pai.

O meu pai deitou o cartão de Sheffield para o caixote do lixo. A minha mãe tirou-o quando o meu pai foi ao *pub*. Dizia:

Pauline, estou angustiado.

A minha mãe sorriu e rasgou-o.

SEGUNDA-FEIRA, 15 DE FEVEREIRO
Aniversário de Washington, EUA. Quarto minguante

Quando cheguei a casa da escola dei com a minha mãe a falar ao telefone com o nojento do Lucas. Estava com uma voz toda melada a dizer coisas do género: «Não me peças para fazer isso, Bimbo» e «Acabou tudo entre nós, querido. Temos de tentar esquecer».

Não aguento muito mais pressão emocional. Já estou até às orelhas só de estudar tanto e de ter de disputar a atenção da Pandora com o Tony Benn.

TERÇA-FEIRA, 16 DE FEVEREIRO

A mãe da Pandora veio cá ontem à noite queixar-se da prateleira de especiarias. Caiu da parede e espalhou o rosmaninho e o açafrão pelos mosaicos de cortiça. A minha mãe desculpou-se em nome do meu pai, que estava escondido na arrecadação.

Estou a pensar seriamente em desistir de tudo, fugir de casa e ser um vagabundo. Até ia gostar dessa vida, desde que pudesse tomar banho todos os dias.

QUARTA-FEIRA, 17 DE FEVEREIRO

Hoje a Sra. Elf contou-nos que tem um namorado. Chama-se Winston Johnson. Tem um mestrado em Arte e não consegue arranjar emprego! Então que hipóteses é que eu tenho?

A Sra. Elf diz que as pessoas com cursos estão a desesperar por todo o país. Disse que o Sr. Scruton devia ter vergonha de ter um retrato da Sra. Thatcher em cima da secretária.

Acho que estou a tornar-me radical.

QUINTA-FEIRA, 18 DE FEVEREIRO

Esta manhã mandaram toda a gente da escola para a sala de reuniões. O Sr. Scruton subiu para o estrado e portou-se como nos filmes do Hitler. Disse que em todos os seus longos anos de professor nunca tinha deparado com um ato tão grave de vandalismo. Ficou toda a gente calada a pensar o que teria sido. O Scruton disse que alguém tinha entrado no escritório dele e pintado um bigode na Margaret Thatcher e escrito «Três milhões de desempregados» no decote.

Disse que profanar a maior líder que este país alguma vez tinha tido era um crime contra a humanidade. Era equivalente a traição e quando o culpado fosse descoberto seria imediatamente expulso. Os olhos do Scruton estavam tão esbugalhados que alguns dos alunos do primeiro ano começaram a chorar. A Sra. Elf levou-os lá para fora por precaução.

Toda a gente da escola vai ter de fazer testes de caligrafia.

SEXTA-FEIRA, 19 DE FEVEREIRO

A Sra. Elf pediu a demissão. Vou ter saudades dela, foi a responsável pelo meu desenvolvimento político. Sou um radical convicto. Sou contra quase tudo.

SÁBADO, 20 DE FEVEREIRO

A Pandora, o Nigel, a Claire Neilson e eu formámos um grupo radical. Somos a Brigada Cor-de-Rosa. Discutimos coisas como a guerra (somos contra); a paz (somos a favor); a destruição total da sociedade capitalista.

O pai da Claire Neilson é capitalista. Tem uma mercearia. A Claire anda a tentar que ele dê comida barata aos desempregados, mas ele recusa-se. Está a engordar à custa da fome deles!

DOMINGO, 21 DE FEVEREIRO
Quinquagésima

Tive uma discussão com o meu pai por causa do *Sunday Express*. Não consegue perceber que o jornal é um instrumento da direita reacionária. Recusa-se a mudar para o *Morning Star*. A minha mãe lê qualquer coisa; anda a prostituir a sua literacia.

SEGUNDA-FEIRA, 22 DE FEVEREIRO

Estou outra vez cheio de borbulhas. Também estou extremamente frustrado sexualmente. Tenho a certeza de que uma sessão apaixonada de amor ia fazer-me bem à pele.

A Pandora diz que não vai correr o risco de ser mãe solteira só por causa de umas borbulhas. Por isso vou ter de voltar à autossatisfação.

TERÇA-FEIRA, 23 DE FEVEREIRO
Terça-Feira de Carnaval. Lua nova

Comi nove panquecas em casa, três em casa da Pandora e quatro em casa do Bert e da Queenie. A minha avó ficou muito ofendida quando eu recusei a sua oferta de ir fazer umas panquecas para mim, mas eu estava cheio até ao pescoço.

É uma vergonha quando o Terceiro Mundo está a viver com alguns grãos de arroz.

Sinto-me culpado à brava.

QUARTA-FEIRA, 24 DE FEVEREIRO
Quarta-Feira de Cinzas

As senhoras do refeitório da escola foram despedidas! Agora os almoços vêm em caixas aquecidas de uma cozinha central. Cá por mim tinha organizado um protesto, mas tenho teste de Geografia amanhã.

A Sra. Leech foi presenteada com um micro-ondas pelos seus trinta anos de trabalho na cozinha.

QUINTA-FEIRA, 25 DE FEVEREIRO

Tive quinze em vinte a Geografia. Perdi valores por dizer que as ilhas Falkland pertenciam à Argentina.

SEXTA-FEIRA, 26 DE FEVEREIRO

A minha coisa mede agora trinta centímetros quando está estendida.

Quando está contraída quase não vale a pena medi--la. O meu físico em geral está a melhorar. Acho que os exercícios para as costas estão a resultar. Costumava ser o tipo de rapaz a quem se atira areia para a cara, agora sou o tipo de rapaz que vê atirarem areia para a cara dos outros.

SÁBADO, 27 DE FEVEREIRO

O meu pai não fez nem vendeu uma única prateleira para especiarias durante toda a semana. Agora estamos a viver à custa da Segurança Social e do subsídio de desemprego.

A minha mãe deixou de fumar. O cão está reduzido a meia lata de *Chum* por dia.

DOMINGO, 28 DE FEVEREIRO
Quadragésima (primeiro da Quaresma)

O almoço de domingo foi ovos com batatas fritas e ervilhas! Sem pudim! Nem sequer um guardanapo.

A minha mãe diz que nós somos os *novos pobres*.

SEGUNDA-FEIRA, 1 DE MARÇO
Dia de São David (País de Gales)

O meu pai deixou de fumar. Anda de um lado para o outro, muito pálido, a pôr defeitos em tudo o que eu faço.

Ele e a minha mãe tiveram a primeira discussão desde que ela voltou. A culpa foi do cão por ter comido a carne enlatada que estava em cima da mesa. Não conseguiu evitar, o pobre diabo estava meio pirado com a fome. Agora come outra vez uma lata inteira de *Chum* por dia.

TERÇA-FEIRA, 2 DE MARÇO
Quarto crescente

Os meus pais sofrem de síndrome aguda de abstinência de nicotina. É bastante divertido para um não-fumador como eu.

QUARTA-FEIRA, 3 DE MARÇO

Tive de emprestar dinheiro ao meu pai para cinco litros de gasolina, tinha uma entrevista para um emprego. A minha mãe cortou-lhe o cabelo, fez-lhe a barba e disse-lhe o que havia de dizer e como devia comportar-se. É patético ver como o desemprego reduziu o meu pai a um estado de dependência infantil dos outros.

Ainda está à espera de ter notícias da Manpower.

Continua doente por não fumar. O humor dele atingiu novos picos de explosão.

QUINTA-FEIRA, 4 DE MARÇO

Ainda não há notícias do emprego. Passo todo o tempo que posso fora de casa. Os meus pais estão insuportáveis. Quase que desejo que voltem a fumar.

SEXTA-FEIRA, 5 DE MARÇO

Ele conseguiu!!!

Começa na segunda-feira como supervisor da renovação das margens dos canais. Está encarregado de um grupo de jovens que abandonaram a escola. Para festejar comprou sessenta maços de *Benson and Hedges* para a minha mãe e sessenta maços de *Players* para ele. Eu recebi um pacote familiar de *Mars*.

Pelo menos, por uma vez na vida, está toda a gente contente. Até o cão está mais animado. A minha avó está a fazer um gorro de lã para o meu pai levar para o trabalho.

SÁBADO, 6 DE MARÇO

Eu e a Pandora fomos ver a parte da margem do canal pela qual o meu pai é responsável. Nem que trabalhasse mil anos ia conseguir tirar de lá todas as bicicletas velhas e carrinhos de bebé e ervas daninhas e latas de *Coca-Cola*! Disse ao meu pai que ele estava num beco sem saída, mas ele disse: «Antes pelo contrário, daqui a um ano vai ser um sítio lindo.» Pois sim! E eu sou a Nancy Reagan, pai!

DOMINGO, 7 DE MARÇO
Segundo da Quaresma

Hoje de manhã o meu pai foi ver a margem do canal. Veio para casa e fechou-se no quarto. Ainda lá está, consigo ouvir a minha mãe a dizer-lhe coisas para o animar.

É um pouco incerto se amanhã ele vai trabalhar ou não. Pensando bem, acho que não.

SEGUNDA-FEIRA, 8 DE MARÇO

Ele foi trabalhar.

Depois das aulas vim para casa pela margem do canal. Encontrei-o a dar ordens a um bando de *skinheads* e de *punks*. Eram todos trombudos e pouco amigos de trabalhar. Nenhum deles queria sujar a roupa. O meu pai parecia ser o único que estava a fazer alguma coisa. Estava coberto de lama. Tentei trocar algumas palavras de circunstância com os rapazes, mas eles reagiram com desprezo às minhas deixas. Disse-lhes que estavam a ser alienados por uma sociedade cruel e indiferente, mas o meu pai disse: «Pira-te para casa, Adrian. Estás a dizer uma data de asneiras esquerdistas.» Não tarda nada tem um motim entre mãos, se não tiver cuidado.

TERÇA-FEIRA, 9 DE MARÇO
Lua cheia

O meu desempenho escolar está a afundar-se outra vez, e agora mais fundo. Só tive cinco em vinte em Inglês. Acho que se calhar sou anorético.

QUARTA-FEIRA, 10 DE MARÇO

O meu pai pediu-me para não levar a Pandora ao canal depois da escola. Diz que não consegue fazer nada dos rapazes depois de ela se ir embora. Na verdade ela é de uma beleza estonteante, mas os rapazes vão ter de aprender a controlar-se. Eu tive de aprender. Ela recusa-se a consumar a nossa relação. Às vezes pergunto-me o que é que ela vê em mim. Vivo no terror diário de que a nossa relação acabe.

QUINTA-FEIRA, 11 DE MARÇO

A Pandora e a mãe da Pandora juntaram-se ao grupo feminista da minha mãe. Não podem entrar homens nem rapazes na sala. O meu pai teve de montar a creche na sala de jantar.

A filha do Rick Lemon, a Herod, andava a rastejar debaixo da mesa a gritar: «Mama! Mama!» O meu pai estava sempre a dizer-lhe para se calar até eu lhe explicar que Mama era o nome da mãe dela. A Herod é uma bebé muito radical que nunca come doces e fica acordada até às duas da manhã.

O meu pai diz que as mulheres deviam ficar em casa a cozinhar. Disse-o baixinho para não ser morto com golpes de caraté.

SEXTA-FEIRA, 12 DE MARÇO

Hoje o meu pai teve um bom dia na margem do canal. Já quase que chegaram às ervas. Para festejar trouxe os *skinheads* e os *punks* a nossa casa para beberem uma cerveja. A Sra. Singh e a minha mãe pareceram ter ficado em estado de choque quando os rapazes entraram pela nossa cozinha adentro, mas o meu pai apresentou o Baz, o Daz, o Maz, o Kev, o Melv e o Boz, e a minha mãe e a Sra. Singh ficaram um bocado mais calmas.

O Boz vai-me ajudar a arranjar os travões da bicicleta, é perito em bicicletas. Rouba bicicletas desde os seis anos.

SÁBADO, 13 DE MARÇO

O Boz hoje ofereceu-me uma snifadela da cola dele, mas eu agradeci e recusei.

DOMINGO, 14 DE MARÇO
Terceiro da Quaresma

Todas as mulheres que eu conheço foram para um comício sobre o direito das mulheres ao trabalho. A Sra. Singh foi disfarçada.

Vi o Rick Lemon no parque, estava a empurrar a Herod demasiado alto no baloiço. A Herod estava a gritar: «Mama! Mama!»

SEGUNDA-FEIRA, 15 DE MARÇO

Sou amado por duas mulheres! A Elizabeth Sally Broadway deu um bilhete à Victoria Louise Thomson na aula de Ciências. Dizia: «Pergunta ao Adrian Mole se quer sair comigo.»

A Victoria Louise Thomson (daqui em diante conhecida por V. L. T.) passou-me o bilhete. Respondi à V. L. T. com uma nega. A Elizabeth Sally Broadway (a partir daqui conhecida por E. S. B.) ficou triste à brava e começou a chorar para dentro do bico de Bunsen.

É maravilhoso saber que a Pandora e a Elizabeth estão apaixonadas por mim.

Afinal, talvez eu não seja assim tão feio.

TERÇA-FEIRA, 16 DE MARÇO

A Pandora e a E. S. B. andaram à bulha no recreio. Estou desiludido com a Pandora. Na última reunião da Brigada

Cor-de-Rosa jurou que ia ser pacifista toda a vida. A Pandora ganhou! Ah! Ah! Ah!

QUARTA-FEIRA, 17 DE MARÇO
Dia de São Patrício. Feriado (Irlanda).
Quarto minguante

Trouxeram o Sr. O'Leary para casa às dez e meia da noite num carro da polícia. A Sra. O'Leary veio a nossa casa pedir ao meu pai se a ajudava a levar o Sr. O'Leary pela escada acima, para o meter na cama. O meu pai ainda lá está. Ouço a música e as cantorias através das janelas de vidro duplo.

Não tem piada nenhuma quando uma pessoa tem de dormir para ir para a escola.

QUINTA-FEIRA, 18 DE MARÇO

Estou a ler *Como as Crianças Falham*, de John Holt. É bestialmente bom. Se eu chumbar nos exames, a culpa é dos meus pais.

SEXTA-FEIRA, 19 DE MARÇO

A minha redação de Inglês:

«Primavera», de A. Mole

As árvores explodem em botões, mas algumas estão em folhas. Os seus ramos apontam para o céu como espantalhos embriagados. Os seus troncos contorcem-se penetrando na terra e formando uma pletora de raízes. O céu paira vacilante como uma noiva tímida à porta da câmara nupcial. As aves esvoaçam abrindo o seu errático caminho até às nuvens de algodão como espantalhos embriagados. O riacho translúcido borbulha majestosamente em direção ao fim da sua viagem. «Ao mar!», grita, «ao mar!», repete incessantemente.

Um rapaz solitário, com as partes em fogo, está sentado a observar o seu calmo reflexo nas águas torrenciais. Sente o coração pesado. Os seus olhos caem no solo e repousam numa majestosa borboleta multicolor. O inseto alado levanta voo e os olhos do rapaz são transportados para longe, até não serem mais do que um pequeno ponto por entre os tons avermelhados do pôr do Sol. Ele pressente no zéfiro uma esperança para a humanidade.

A Pandora acha que é a melhor coisa que eu alguma vez escrevi, mas eu sei que tenho um longo caminho a percorrer até aprender o meu ofício.

SÁBADO, 20 DE MARÇO
Equinócio da primavera

A minha mãe cortou o cabelo todo. Parece uma das presas da tia Susan. Já não tem um ar nada maternal. Não sei se lhe vou comprar alguma coisa para o Dia da Mãe. Ela falou disso ontem à noite, disse que era uma manobra comercial alimentada por tolos e ingénuos.

DOMINGO, 21 DE MARÇO
Quarto da Quaresma. Dia da Mãe

11.30 da manhã. Não comprei nada para a minha mãe, por isso ela tem andado toda a manhã de mau humor.

1 da tarde. O meu pai disse: «Se eu fosse a ti, miúdo, dava um salto até ao Sr. Cherry e comprava um cartão e um presente para a tua mãe.» Deu-me duas libras e então comprei um cartão a dizer «Mamã, adoro-te» (era o único que tinha sobrado, sorte malvada) e cinco caixas de bombons de licor sortidos (em saldo, porque as caixas estavam um bocado amachucadas). Ela ficou mais animada e nem se importou quando o meu pai levou um ramo de tulipas à minha avó e voltou cinco horas depois a cheirar a álcool.

A Pandora convidou a mãe para jantar num restaurante. Vou fazer a mesma coisa à minha mãe quando for famoso.

SEGUNDA-FEIRA, 22 DE MARÇO

Cataloguei todos os livros que há no meu quarto. Tenho cento e cinquenta e um livros, sem contar com os da Enid Blyton.

TERÇA-FEIRA, 23 DE MARÇO

Daqui a onze dias faço quinze anos. Por isso, caso queira, só tenho de esperar um ano e onze dias para casar.

QUARTA-FEIRA, 24 DE MARÇO

Agora a única coisa que realmente me preocupa na minha aparência são as orelhas. São espetadas num ângulo de noventa graus. Verifiquei com o meu esquadro, por isso sei que é um facto científico.

QUINTA-FEIRA, 25 DE MARÇO
Festa da Anunciação de Nossa Senhora. Lua nova

Hoje tive um despertar espiritual. Apareceram cá em casa dois homens simpáticos, representantes de um grupo chamado Sunshine People. Explicaram-me que só eles podem trazer a paz ao mundo. A inscrição custa vinte libras. Vou arranjar o dinheiro seja como for. Nada é caro de mais quando é a paz que está em jogo.

SEXTA-FEIRA, 26 DE MARÇO

Tentei convencer a Pandora a entrar para o Sunshine People. Ela não se deixou influenciar pelos meus argumentos. Eles vêm cá amanhã conhecer os meus pais e assinar a autorização.

SÁBADO, 27 DE MARÇO

Os homens do Sunshine People vieram às seis horas. O meu pai obrigou-os a ficar à porta à chuva. As túnicas deles ficaram completamente encharcadas. O meu pai disse-lhes que estavam a tentar fazer uma lavagem ao cérebro a uma simples criança. Quando se foram embora, a minha mãe ficou a vê-los subir a rua e disse: «Eles agora já não parecem nada carismáticos, só parecem dois tipos completamente encharcados.» Caíram-me algumas lágrimas dos olhos. Acho que estava a chorar de alívio — vinte libras é muito dinheiro.

DOMINGO, 28 DE MARÇO
Domingo da Paixão. Começa a hora de verão em Inglaterra

O meu pai esqueceu-se de acertar o relógio ontem à noite, por isso cheguei atrasado à reunião da Brigada Cor-de-Rosa na sala de estar da Pandora. Votámos a favor da exclusão do pai da Pandora da reunião devido aos seus pontos de vista de extrema-esquerda. Decidimos apoiar o Roy Hattersley na sua luta pela liderança.

A Pandora deixou de gostar tanto do Tony Benn desde que descobriu que ele é um ex-aristocrata.

A Claire Neilson trouxe um novo membro, chama-se Barbara Boyer. É bonita à brava e inteligente à brava. Discordou da Pandora quanto à política de armas nucleares da NATO. A Pandora teve de admitir que a China é um fator desconhecido. A Pandora pediu à Claire Neilson para não voltar a trazer a Barbara.

SEGUNDA-FEIRA, 29 DE MARÇO

Hoje almocei na escola sentado ao lado da Barbara Boyer. É uma rapariga absolutamente maravilhosa. Chamou-me a atenção para o facto de a Pandora ter uma série de defeitos. Fui obrigado a concordar com ela.

TERÇA-FEIRA, 30 DE MARÇO

Estou a cometer adultério não-sexual com a Barbara. Sou o centro do eterno triângulo amoroso. O Nigel é o único que sabe: jurou guardar segredo.

QUARTA-FEIRA, 31 DE MARÇO

O Nigel andou a espalhar a notícia pela escola toda. A Pandora passou a tarde toda no gabinete da enfermeira.

QUINTA-FEIRA, 1 DE ABRIL
Dia das Mentiras. Quarto crescente

A Barbara Boyer acabou com o nosso breve *affaire*. Telefonei-lhe para a loja de animais onde ela trabalha em *part-time* a limpar as gaiolas. Disse que não conseguia suportar o sofrimento que via nos olhos da Pandora. Perguntei-lhe se era uma brincadeira do Dia das Mentiras, ela disse que não e que já passava do meio-dia.

Aprendi uma lição importante, por causa da luxúria fiquei sem amor.

Amanhã faço quinze anos. Fiz a barba para ver se ficava mais animado.

SEXTA-FEIRA, 2 DE ABRIL

Tenho quinze anos, mas legalmente ainda sou uma criança. Não há nada que eu possa fazer hoje que não pudesse fazer ontem. Sorte malvada!

Recebi sete cartões de familiares e três de amigos. Os meus presentes foram o monte habitual de inutilidades japonesas, mas o Bert deu-me um modelo de avião fabricado na Alemanha Ocidental.

A Pandora ignorou o meu aniversário. Não a censuro. Traí a confiança dela.

O Boz, o Baz, o Daz, o Maz, o Kev e o Melv chegaram do canal e atiraram-me quinze vezes ao ar. O Boz deu-me um tubo de cola para o meu avião.

SÁBADO, 3 DE ABRIL

8 da manhã. A Inglaterra está em guerra com a Argentina!!! A Rádio Quatro acabou de anunciar. Fui vencido pela excitação. Metade de mim acha que é trágico e a outra metade acha que é excitante à brava.

10 da manhã. Acordei o meu pai para lhe dizer que a Argentina invadiu as Falklands. Ele saltou da cama porque pensou que as Falklands eram ao largo da Escócia. Quando lhe disse que eram a doze mil quilómetros, ele voltou para a cama e tapou a cabeça com os cobertores.

4 da tarde. Acabo de passar pela experiência mais humilhante da minha vida. Começou quando eu decidi montar o meu avião. Estava quase a acabar quando decidi dar uma snifadela experimental na cola. Encostei o nariz ao trem de aterragem e snifei durante cinco segundos. Não aconteceu nada de espiritual mas fiquei com o nariz colado ao avião! O meu pai levou-me às Urgências para o tirarem e ainda estou para saber como é que aguentei que se rissem e gozassem tanto comigo.

O médico das Urgências escreveu «snifa cola» no papel da alta.

Telefonei à Pandora; ela vai passar cá depois da lição de viola. O amor é a única coisa que me faz manter a sanidade mental...